350

# Las salvajes en Puente San Gil

---

# Las arrecogías del Beaterio de Santa María Egipciaca

Letras Hispánicas

José Martín Recuerda

# Las salvajes
# en Puente San Gil

---

# Las arrecogías del
# Beaterio de Santa María
# Egipciaca

Edición
de
Francisco Ruiz Ramón

CUARTA EDICION

CATEDRA

**EDICIONES CÁTEDRA, S. A. Madrid**

Cubierta: Mauro Cáceres

© José Martín Recuerda
  Ediciones Cátedra, S. A., 1983
  Don Ramón de la Cruz, 67. Madrid-1
  Depósito legal: M. 27.708.—1983
  ISBN: 84-376-0104-5
  *Printed in Spain*
  Impreso en Artes Gráficas Benzal, S. A.
  Virtudes, 7. Madrid-3
  Papel: Torras Hostench, S. A.

Índice

*Introducción*

En 1947, teniendo Martín Recuerda veintidós años, escribe *La llanura*. El texto de la que considera su primera obra dramática válida no será publicado hasta marzo de 1977. En 1970 termina *Las arrecogías del Beaterio de Santa María Egipciaca,* cuyo estreno tendrá lugar siete años después, en febrero de 1977. Durante los treinta años que van de *La llanura* hasta el estreno de *Las arrecogías...* Martín Recuerda sigue escribiendo año tras año hasta un total de catorce dramas, de los cuales unos pocos serán publicados o estrenados, aunque, en un caso o en el otro, siempre más o menos mutilados por la censura. Ésta es, como escritor, la experiencia radical de nuestro autor, experiencia que no es sólo la suya, sino la de la mayoría de aquellos dramaturgos españoles que empiezan a escribir para el teatro en la España de después de la guerra civil de 1936, empeñados en decir desde la escena aquello que era necesario que fuera dicho públicamente, tal como sólo el teatro puede decirlo.

Aunque la experiencia pueda ser la misma y condicione similarmente la relación entre el autor y el público y, en consecuencia, la función social de la obra dramática, puede ser muy distinta —y de hecho lo ha sido— la trayectoria creadora de cada dramaturgo, en respuesta al silencio y a la invisibilidad que los órganos del poder han decretado con respecto a cada obra o a la obra total de cada autor singular. Analizar cada una de esas trayectorias por separado para luego trazar, no la suma, sino la síntesis de todas ellas, sería hacer una historia interna de la creación dramática española contemporánea. Nuestro objeto no es aquí el teatro español contemporáneo, ni tampoco todo el teatro de Martín Recuerda, sino solamente los dos dramas que aquí publicamos.

* * *

Hace unos años distinguía Monleón [1] dos etapas en la obra teatral de Martín Recuerda: la primera protagonizada por personajes agónicos, víctimas de un mundo hostil, contra el que no llegan a rebelarse; la segunda, que empieza con *Como las secas cañas del camino,* y de la que forman parte, entre otras [2], *Las salvajes* y *Las arrecogías*, en la que los personajes se enfrentan con ese mismo mundo hostil y, mediante su rebelión, invitan al público a idéntica rebelión.

El propio Martín Recuerda parecía autorizar tal división, cuando en 1967, recordando el estreno de *El teatrito de don Ramón* (Teatro Español, 1959), escribía: «De este estreno tuve una gran lección: que hay que dar la cara en el teatro, sublevando los ánimos y luchando, frente a frente, con el público. Me prometí que mis personajes se rebelarían siempre, que exaltarían siempre las conciencias, que gritarían, que no se dejarían hundir en ningún momento...» [3]

Tal decisión programática, cuya primera consecuencia fue el texto de *Las salvajes...,* escrito en 1961, decisión estribada en una experiencia concreta del autor en tanto que autor, suponía, implícitamente, una clara conciencia de las funciones del teatro en una sociedad histórica muy

---

[1] José Monleón, «Martín Recuerda o la otra Andalucía», en José Martín Recuerda, *Teatro: El teatrito de don Ramón. Las salvajes en Puente San Gil. El Cristo,* Madrid, Taurus, 1969, páginas 11-12. La misma diferenciación le sigue pareciendo válida a Monleón en el estudio que a Martín Recuerda dedica en su reciente libro *Cuatro autores críticos,* Granada, Gabinete de Teatro, Secretaría de Extensión Universitaria de la Universidad de Granada, 1976, págs. 7-13.

[2] Esas otras son: *El Cristo, El engañao* y *Crucificación y muerte de Celestina.* Las cinco responden a una misma estética de provocación de la conciencia colectiva y de violación de los tabúes de la colectividad nacional.

[3] José Martín Recuerda, «Pequeñas memorias», en José Martín Recuerda, *Teatro, op. cit.,* pág. 55.

precisa, y obedecía, por tanto, a una voluntad —casi una necesidad— de enraizar su teatro en un espacio y un tiempo españoles igualmente concretos. Ese enraizamiento, fruto de una lúcida elección, iba a determinar, por una parte, las líneas internas de la estructura dramática —construcción de acción y personajes, tratamiento del lenguaje— y, por la otra, la búsqueda de una distinta relación entre la obra teatral y el público. El resultado sería la puesta en marcha de una nueva dramaturgia, cuyos elementos fundamentales vamos a tratar de señalar en *Las salvajes...* y en *Las arrecogías...*

«LAS SALVAJES EN PUENTE SAN GIL»:
LA APARICIÓN DEL PERSONAJE CORAL

En *Las salvajes...* aparece un nuevo tipo de personaje dramático, cuyos antecedentes podrían rastrearse en obras anteriores de Martín Recuerda, desde *La llanura* hasta *Como las secas cañas del camino,* en donde se manifestaba ya, aunque de modo difuso, como cristalización de un campo de fuerzas invisibles, y cuya función teatral era la de crear una especie de atmósfera envolvente dentro de la cual, y en constante referencia a ella, generalmente por vía de alusión, vivía su estéril agonía el resto de los personajes individualizados por el autor. Este personaje individualizado, a cuya derrota y frustración nos invitaba a asistir el dramaturgo, estaba concebido como chivo emisario o como revelador de toda una sociedad, no presente en términos escénicos, cuya impotencia encarnaba. Tanto la madre de *La llanura,* como el entrañable y patético don Ramón de *El teatrito de don Ramón,* como la maestra de *Como las secas cañas del camino,* singularizaban, mediante una historia particular, la patética historia colectiva de toda una comunidad sin voz y sin presencia, cuyo dolor asumían. Pero la asumían sin poderla rescatar de verdad, la asumían, por así decirlo, líricamente, vencidos ya de antemano, atrapados por una fatalidad que ellos mismos aceptaban, como víctimas propiciatorias de un sacrificio repetido una y otra vez. El

13

primer teatro de Martín Recuerda era, en realidad, un teatro sacrificial, en el que se daba testimonio de un sacrificio colectivo, convertido en destino de todo un pueblo, mudo e invisible, incapaz de otra acción que no fuera la de representar una y otra vez para sí mismo su propia derrota y su propia condición de víctima. Algo así como la simbólica actualización de una misa sin redención, de una misa en el fondo de un pozo ciego.

Con *Las salvajes...* ocurre algo absolutamente nuevo: las fuerzas invisibles que, como densa atmósfera, envolvían a la víctima individualizada del sacrificio colectivo de los dramas anteriores, adquieren voz y cuerpo en el espacio escénico y se van agrupando en bloques de personajes que las materializan, y, al materializarlas, las definen y revelan, a la vez que la víctima-individuo se transforma también en personaje coral. Cada bloque de personajes, o personaje coral, se enfrenta a los otros como una unidad de significación colectiva, a la vez que —y es uno de los más interesantes hallazgos de construcción de personaje— uno de ellos manifiesta en su mismo seno la división como forma propia de existencia escénica, convirtiéndose, por virtud de dicha ruptura interior, en protagonista y agonista, uno y plural, de la acción. Ésta se va estructurando mediante una cadena de afrontamientos violentos entre los distintos personajes corales, que conduce progresivamente, aunque sin suprimir las contradicciones, al personaje coral dividido a una final unidad. Cada uno de los personajes corales es, en su concreta manifestación escénica, el resultado de la síntesis dialéctica de un campo de fuerzas en donde se entrecruzan individuo y sociedad.

La originalidad y eficacia dramáticas del personaje coral reside, a mi juicio, en el hecho de que cumpliendo en el plano socioideológico el papel tradicional del coro clásico —ser portavoz dramático (=en acción) de una visión colectiva del mundo —en el plano escénico manifiesta la división y la pluralidad conflictivas reales de toda visión colectiva. Mediante el doble enfrentamiento de los distintos personajes corales entre sí y en el interior de uno de ellos, puede el dramaturgo expresar con

14

precisión y economía dramáticas las tensiones internas, enmascaradas, de toda la sociedad, a la vez entre los distintos grupos y en el seno de cada grupo.

Ahora bien, el hecho de que en la escena sólo uno —a lo menos en *Las salvajes*...— de los personajes corales, pero no los otros, aparezca interiormente dividido, permite hacer ver al espectador directamente, sin mediación alguna por parte del dramaturgo —que es lo que suele ocurrir en el teatro político-didáctico, donde siempre está presente la mediación antidramática— por qué en su propio espacio histórico ha llegado a producirse y a perpetuarse la relación sacrificador/sacrificado, núcleo escandaloso de toda dialéctica histórica de amo y esclavo o de verdugo y víctima. *Las salvajes*..., como más tarde *Las arrecogías*..., según veremos, muestra en el espacio escénico cómo puede hacerse explotar desde dentro mismo del sistema, en el espacio histórico, tan escandalosa relación, y cómo dicha relación, convertida en destino impuesto a la colectividad nacional, puede ser superada.

En *Las salvajes*... encontramos tres bloques de personajes —las artistas de la compañía de revistas, las señoras cursillistas de cristiandad, los varones, reducidos a su función elemental de «machos en celo», que rodean el teatro o asaltan a las artistas—, de los cuales sólo el primero está construido como personaje coral dividido.

Tanto el bloque de señoras como el bloque de varones actúan como personajes colectivos en quienes encarnan, escénicamente, las fuerzas represivas de toda una sociedad, simbólicamente cristalizadas en la intolerancia moral o en la sexualidad reprimida. A ambos bloques de personajes les caracteriza, en términos sociodramáticos, la homogeneidad y la unidad, pues son bloques sin fisuras —de una sola pieza—, y su formidable instinto de agresión. Cada uno actúa en una sola dirección y en respuesta a una visión monolítica de la realidad que excluye cuanto no encaja en el sistema ideológico de que son portadores y custodios. Las señoras cursillistas, mantenedoras del fuego sagrado de la moral oficial, con larga tradición en la historia del teatro español (ver nota 7 al texto de *Las salvajes*), actualizan, una vez más en la

15

escena española, la moral clasista que, propuesta como norma y arquetipo únicos de conducta social e individual, sustituye a la realidad, usurpando su puesto. El resto de los personajes, como veremos en seguida, se mueve y actúa dentro de las coordenadas del universo —propuesto e impuesto como único real— de las señoras cursillistas de cristiandad.

Permítaseme mencionar —a modo de referencia— dos ejemplos de distintas épocas del teatro español. En *La vida es sueño* todos los personajes viven en el universo de significaciones creado por el rey Basilio. Al final, Segismundo lo invalidará instaurando, mediante el ejercicio de la libertad, otro universo de donde no se eliminan las contradicciones ni las tensiones dialécticas consustanciales a la realidad humana, sino que se las asumen. En *La casa de Bernarda Alba* todos los personajes atrapados en el universo creado por Bernarda, fracasarán en su empeño de invalidarlo por la locura o por el suicidio. La tragedia lorquiana se cerrará con la negación de la realidad por Bernarda («¡Mi hija ha muerto virgen!») y con la perpetuación de su propio mundo, cuyo signo será ese «¡Silencio!» autárquico decretado por ella.

En *Las salvajes...* su autor nos invita a instalarnos en el universo creado, no por un personaje singular (Basilio o Bernarda), sino por un bloque de personajes, representativo del sistema de principios rectores de la colectividad, en donde cristaliza una visión del mundo con pretensión de vigencia nacional. Todo patrón de conducta que no se amolde a dicha visión es, *ipso facto* y por definición, considerado como desviación de la norma y, en consecuencia, inadmisible por su condición anormal. Como tal, debe ser eliminado.

La primera víctima colectiva de la instalación pasiva en tal universo la constituye otro bloque de personajes, el de los «machos en celo» de la comunidad nacional, cuya represión sexual, agresivamente encauzada, es la consecuencia de su ciega aceptación de un orden cuyo fundamento no se discute. Ese orden, transmitificado —es decir, transformado en medida normativa única de realidad con valor sacral— se revela en el espacio dramático, mediante la actuación de los «machos en celo», como fuente de desorden, como la fuente originaria de todo desorden, productor de violencia y de agresión.

La segunda víctima la constituye el personaje coral dividido. Este personaje, a diferencia de los dos anteriores, no ha eliminado ni sus contradicciones ni sus tensiones, porque no ha aceptado ciegamente la sacralización del orden, y actúa, en consecuencia, interiormente dividido, defendiéndose de los dos personajes corales que encuazan, imponiéndolo o aceptándolo, el orden rector. Individualmente, cada una de las artistas que integra el personaje coral dividido es, según puntúa su historia particular, un miembro desclasado e impuro que el sistema rechaza y sobre el que pende el anatema social; colectivamente, sin embargo, les une el mismo complejo de frustración que como individuos los opone y divide. Sólo cuando son capaces de unirse como individuos, superando su particular frustración, y rechazando como grupo su conciencia individual de miembro desviado y culpable, es decir, sólo cuando pasan de la resistencia pasiva e individual a la resistencia activa y colectiva, oponiéndose a los otros personajes corales y a los personajes individuales en quienes aquéllos delegan la autoridad, el universo de que todos ellos son producto, y que perpetúan con su división, empieza a mostrar sus fisuras y a resquebrajarse interiormente. Su gestión colectiva muestra así, cara al espectador, cuál es el camino, en el espacio histórico del público, para la destrucción del orden impuesto. La acción dramática creada por el autor es así, en relación con la sociedad a la que se dirige, una auténtica y violenta ceremonia de desmitificación de un orden sistemáticamente sacralizado. La función dramática última del personaje coral dividido es la de violar, mediante su desenmascaramiento, los tabúes nacionales institucionalizados por el sistema y cuyos representantes son, en escena, los otros personajes corales.

Además de esos tres campos de fuerza encarnados en personajes colectivos, encontramos en el drama de Martín Recuerda otros campos de fuerza singularizados en cuatro individuos dramáticos: Rosita, el Empresario, el

17

Arcipreste y el Comisario de Policía. Los dos últimos representan la autoridad, política y espiritual, al servicio del orden que ellos administran. Tiene profunda significación el que, en la obra, el personaje coral dividido concentre su acción agresiva en ambos. Al Arcipreste, al que agreden físicamente, le consideran como responsable de cuanto ha sucedido. El dramaturgo no lo presenta, sin embargo, en términos absolutamente negativos en tanto que individuo: no resiste a la agresión, aparece dotado de ciertas virtudes evangélicas cifradas en la moral del perdón, etc. Lo que se pone así de relieve no es su culpabilidad individual, pues como individuo no es culpable. Su culpabilidad es estrictamente estructural, ya que tiene que ver con el incumplimiento de su función dentro de la sociedad. Es esta función la que no ha cumplido, al no invalidar el orden impuesto, pues pretende actuar evangélicamente dentro de él, sin rechazarlo en sus raíces. En él cristaliza la flagrante contradicción de una Iglesia que perpetúa con su poder espiritual, en tanto que institución, aunque no en sus individuos, el sistema en el que ha aceptado instalarse. Su mediación es, así, una falsa mediación. En este sentido, el personaje coral tiene razón al rechazarlo en tanto que mediador y en agredirlo en tanto que funcionalmente instalado en el orden del sistema rector. Sin embargo, Martín Recuerda muestra sutilmente cómo la agresión contra el representante de la autoridad espiritual, es, en cierto modo, un acto anárquico en el que no participa unánimemente el personaje coral. Ese mismo acto de agresión incontrolada perpetúa su división, invalidando el sentido liberador de la agresión. Sólo al final de la obra, frente al representante nato de la autoridad, el Comisario de Policía, el personaje coral se une, por primera vez, lanzando un canto de desafío contra la autoridad y el orden impuesto. Desafío que se resume en la resistencia final al silencio que el representante de la autoridad establecida quiere, una vez más, imponer: «No callamos.» «No tenemos miedo.» «Hemos perdido todo.»

En el Empresario aparecen igualmente patentes las contradicciones del poder económico dentro de la sociedad establecida. Por una parte, su origen está fundado en los mismos principios que estructuran toda sociedad establecida, principios manipulados en beneficio propio («tú has hecho tu dinero escudándote en tus cargos oficiales», «te gustaron siempre los juegos sucios», «ha sido tu forma de subir y tener este teatro»); por otra, en un momento dado de su trayectoria ascendente, entra en conflicto de intereses con los mismos principios que abrazó y el mismo poder con que se alió para subir. Si primero se benefició del sistema, ahora querrá explotar la oposición a él.

En cuanto a Rosita, el más desvalido de los personajes de *Las salvajes...*, nos parece ser, en cierto modo, el polo de incidencia de los distintos campos de fuerza actuantes en el drama, y el único representante del personaje víctima, individualizado de los dramas anteriores. Junto con las Barrenderas abre y clausura la acción, sin poder escapar del mundo cerrado del que parecía dispuesta a huir, pero en el queda atrapada por su conciencia de culpa y por el miedo paralizante que le impide rebelarse. Como el resto de los personajes, incluidas las Barrenderas, revela la misma violencia de actitud y palabra que caracteriza, como su marca más distintiva, el mundo dramático de esta segunda etapa del teatro de Martín Recuerda, violencia que es el signo de la violencia difusa, pero medular, que el sistema mismo segrega. Su rebelión individual se queda en gesto estéril y no la conduce a la liberación, porque, a la hora de sumarse colectivamente al desafío, queda paralizada, «abrazada a su maleta», en donde encierra todos sus sueños de libertad, sin atreverse a afrontar al Comisario de Policía, que la detiene con un simple «¿Dónde vas?».

La alternativa que el dramaturgo propone al espectador queda así clara al final de la pieza: o unirse, en un acto de desafío, al personaje coral o, como Rosita, quedarse «abrazada a su maleta», «tras los hierros del portón», prisionero del sistema.

## 1. *Polifonía de signos*

En 1963 afirmaba Roland Barthes:

«¿Qué es el teatro? Una especie de máquina cibernética. Cuando descansa, esta máquina está oculta detrás de un telón. Pero a partir del momento en que se la descubre, empieza a enviarnos un cierto número de mensajes. Estos mensajes tienen una característica peculiar: que son simultáneos, y, sin embargo, de ritmo diferente; en un determinado momento del espectáculo, recibimos al *mismo* tiempo seis o siete informaciones (procedentes del decorado, de los trajes, de la iluminación, del lugar de los actores, de sus gestos, de su mímica, de sus palabras), pero algunas de esas informaciones se *mantienen* (éste es el caso del decorado), mientras que otras cambian (las palabras, los gestos); estamos, pues, ante una verdadera polifonía informacional, y esto es la teatralidad: *un espesor de signos...*» [4].

Nada tenemos que objetar a las palabras de Barthes, pero sí algo que añadir: 1) que esa teatralidad debe estar ya implícita en el mismo texto dramático, en estado de latencia, cuando éste es un auténtico texto dramático, y no sólo una acción en diálogo, y será revelada, en toda su plenitud, de modo explícito, en su representación escénica; 2) que ese espesor de signos sólo es posible en virtud de la especial relación dialéctica entre el espacio dramático y el espacio histórico.

*Las arrecogías en el Beaterio de Santa María Egipciaca,* que ha estado en *descanso forzado* durante más de seis años, es como texto dramático una verdadera polifonía de signos. Es decir, como tal texto dramático, le carac-

---

[4] Roland Barthes, «Literatura y significación», en *Ensayos críticos,* Barcelona, Seix Barral, 1967, págs. 309-310.

teriza su intensa y profunda teatralidad. Considerémosla en su estado latente, previo a su montaje.

Para ello vamos a fijarnos sólo en el principio de la obra. Aún más: en el momento anterior al comienzo de la acción y de la palabra sobre el escenario. En sus signos no lingüísticos. Ordenemos y comentemos toda la información que el autor nos comunica en la larga acotación inicial.

Cuando los espectadores entran en la sala, antes de que el espectáculo teatral empiece en el escenario, antes, por tanto, de convertirse, de ser convertidos, en público específico de una específica acción teatral localizada en su lugar tradicional —el escenario—, se encuentran asaltados por una música charanguera de la Granada de comienzos del siglo XIX, que los músicos, desplazándose por todas partes del teatro, están tocando. Al mismo tiempo, el ambiente de fiesta de esa Granada de fines del XIX se complementa, intensificando su efecto, por la presencia física de unos personajes femeninos —Lolilla y sus costureras— que son ya y todavía no son personajes dramáticos, que son ya y todavía no son actores que representan un papel. Estos personajes no-personajes visten grotescamente, como para ir a los toros, y cantan a veces, y a veces dan flores a los espectadores. Espectadores que son ya, al mismo tiempo, actores de una fiesta, participantes espontáneos de una fiesta que se está celebrando ya en diversas partes del teatro. Cuando la fiesta se traslade al escenario, los espectadores habrán empezado ya a participar en ella, o, al menos, a ser envueltos por su atmósfera, en su mismo espacio físico. La fiesta que van a presenciar es una prolongación, a la vez que una proyección, de una fiesta común a actores y espectadores. Un primer nivel de fusión o de coincidencia en lo mismo —la fiesta— de sala y escena se ofrece apenas se entra en el teatro. El teatro, sin distinción de escena y sala, queda constituido, o, como mínimo, sugerido como el lugar de una fiesta común, sin ruptura ni discontinuidad entre el espacio del actor y del espectáculo y el espacio del público del espectáculo. El teatro es, desde el inicio, un *continuum* de acción teatral. *Continuum* que se

21

consolida por la fusión, en el nivel de los signos visuales, inmóviles, del decorado: los pasillos de la sala del teatro se unen con las empedradas cuestas granadinas. Los pasillos, vistos desde el punto de vista del espectador, no terminan al pie del escenario, sino que suben a él y hacen en él cuestas granadinas; y vistos desde el punto de vista del actor, son la prolongación de calles que descienden desde la escena y atraviesan, en ligera cuesta también, la sala del teatro. En realidad, tal fusión física elimina —invita a eliminar— la ruptura entre los dos puntos de vista. O para ser más precisos: los dos puntos de vista quedan englobados en una sola y misma realidad, en un único mundo.

En el escenario, convertido en el espacio alto de la sala, pueden verse unas tapias inundadas de letreros insultantes. Letreros «anónimos». Varios letreros. He aquí tres de ellos: «Calomarde asesina la cultura y el progreso.» «Viva el general Riego.» «La cabeza del hijo de puta de Pedrosa.» Calomarde, Riego, Pedrosa. Nombres que pertenecen a un espacio histórico concreto: el del siglo XIX español. ¿Cuál puede ser la relación histórica, simbólica o analógica con otro espacio concreto, el de la España del siglo XX, de donde acaba de entrar, y que con él porta, como la tortuga su caparazón, el espectador? ¿De qué modo desde la fusión física, escenográfica, de sala y escena, podrá llegarse al nuevo sistema de correspondencias entre dos espacios históricos, por medio de esos letreros y esos nombres?

Hay también otros letreros, aquellos que identifican, puestos en la cancela que da acceso al espacio invisible que las tapias celan, lo escondido y delimitado por éstas: «Casa de Dios y de Santa María para asilo de mujeres perdidas.» Otro letrero más abajo, con letras muy populares, dice, con decir expresivo: «So putas.» No hace falta comentarios, pues el letrero es, en sí, todo un comentario. Anónimo. Y popular.

Más signos. Todos simultáneos. A través de la cancela se pasean centinelas, carceleros, soldados de la vieja Infantería española. Y oímos, mientras los vemos pasearse, un *Te Deum,* cantado dentro por voces femeninas con sonsonete de canto de monjas. Ambos signos, al actuar de consuno sobre el espectador, establecen una relación, algún modo difuso de relación, entre carcele-ros-soldados y canto religioso de monjas, entre dos dimensiones —la militar-represiva y la religioso-ritual— de un momento de existencia histórica española, en un doble espacio histórico: Granada del siglo XIX, España siglo XX, fundidos en un *continuum* escenográfico.

Las calles parecen estar desiertas. Un hombre pasa por medio de la sala del teatro y sube una de las cuestas que dan al escenario. Lleva un cubo con pintura, brocha, carteles enrollados, escalera plegable de madera. Cuando llega arriba, se sienta, lía un cigarrillo, se lo coloca en la oreja, coge sus utensilios y pega un nuevo cartel, uno más, que esta vez todos vemos pegar. Quien lo ha pega-do ha seguido el camino que va de la sala al escenario. El cartel dice, en grandes letras: «Aviso: Escuela de toros.» Antes de pegarlo ha mirado, como si se tratara de un solo espacio, al público y a uno y otro lado de las calles. Parece que ha puesto el cartel para nosotros, que miramos. Pero en seguida nos damos cuenta que no estamos solos, que no somos los únicos que miramos. Detrás de ventanas y balcones, cuyos postigos se abren con sigilo, hay gentes, gentes que miran escondidas en sus casas. Las calles están desiertas, pero la ciudad no está sola, sino llena de gentes que vigilan desde dentro de sus casas. Esa ciudad no es otra ciudad sino por virtud de la conjunción de todos los signos que vengo enumerando, la misma ciudad en la que nosotros mira-mos y oímos lo mismo que miran y oyen las gentes escondidas en sus casas. Nos encontramos todos —esas gentes y nosotros— en el mismo espacio de una fiesta colectiva y de un recelo colectivo, puntuado por músi-cas charangueras, *Te Deum,* y gente armada que vigila.

Establecida esa comunidad de espacio por virtud de una polifonía de signos, la acción comienza: suena una guitarra y un palmoteo redoblado y bien sonado, y por una de las calles salen las seis mujeres —Lolilla la del Realejo y las cinco costureras— que, a nuestra entrada, repartieron claveles.

La «máquina cibernética» —según la expresión de Barthes— se puso en movimiento apenas entramos, englobándonos a todos —actores y espectadores, escena y sala, siglos XIX y XX— en una misma totalidad. La fiesta —la de todos— no empieza: sigue. ¿Qué fiesta?

## 2. Una fiesta española

Al comenzar, sobre el escenario, la primera parte de la fiesta: cantan y bailan Lolilla y sus costureras. Dice Lolilla:

> Dicen que toda Granada
> está conspirando
> y que los granadinos
> se pasan el día,
> con aire muy fino,
> entre celosías,
> acechando, acechando.
> Pero nosotras decimos:
> si hay corridas de toros
> a donde asistimos,
> la plaza repleta,
> el sol como el oro,
> la alegría completa,
> ¿qué importa tanta conspiración?
> ¡Ay, granadino, granadinito,
> no tienes perdón!

Y el coro de las costureras empalma:

> Las manolas de Bibarrambla
> no saben qué pasa
> en España entera,
> dividida en dos bandos,
> se baila el fandango
> y se intenta vivir,
> y dicen que la gente,
> callando,
> callando y callando
> quisiera morir.
> ¿Pero qué pasa aquí?

¿Qué pasa dónde? En España entera, la de la fiesta, cuya ritualización acaba de empezar para todos. Estas y todas las canciones, muy abundantes a lo largo y a lo ancho de toda la obra, tienen, entre otras, una función importante: la de mediación entre dos mundos históricos y entre los dos espacios escénicos que juegan —contiguos, aunque separados— en el escenario. Detengámonos en esta doble mediación.

Todas las canciones son cantadas por dos personajes corales distintos, separados entre sí por las tapias del Beaterio. En el recinto cerrado entre la tapias, en donde ocurre la acción dramática centrada en torno a Mariana Pineda, las nueve arrecogías actúan unas veces como individuos dramáticos, en conflicto y oposición entre sí mismas, divididas y enfrentadas (luego volveremos al sentido de esa división); pero también actúan, otras veces, como un coro colectivo, que narra o interpreta la acción vivida de su propia lucha, unidas por su actitud de denuncia y de desafío. Fuera del recinto del Beaterio, en el espacio aparentemente abierto de las calles de la ciudad —esa ciudad, como ya señalé, a un tiempo desierta y llena de gentes escondidas—, Lolilla y las costureras forman el otro personaje coral, aunque también, en mucha menor medida que las arrecogías, y actúan en ocasiones como individuos dramáticos unidos, no enfrentados. Estos dos personajes corales se mueven en dos espacios escénicos en apariencia distintos: el cerrado —prisión— del Beaterio y el abierto —calles— de la ciudad. En realidad, son un espacio con idéntica significación: la de una prisión. El drama de las arrecogías es, en esencia, el mismo drama de las costureras. Y el Beaterio, un espacio cerrado en el interior de otro espacio cerrado. Aunque las canciones que cantan ambos coros sean distintas en la letra, en determinados momentos —momentos clave— son idénticas. Un ejemplo: al comienzo de la primera parte, y a continuación de las dos canciones antedichas, Lolilla canta este cantarcillo lírico:

Ay, huertecicas florías
de las orillicas del río Genil,
mandad airecicos
fresquitos
a los españolitos
de por ahí,
porque todos queremos vivir.

Al final de la primera parte, *todas* las arrecogías cantan
el mismo cantarcillo. La repetición, por ambos coros,
de esa coplilla funciona como signo de identificación, de
fusión en un solo coro, de los dos grupos, el del Beaterio y el de la Ciudad. Los dos mundos son un solo y
mismo mundo. Pero todavía hay más, mucho más, puesto de relieve en todos los planos del total espacio teatral, por la excepcional riqueza polifónica de signos simultáneos y en correlación que el dramaturgo ha conseguido crear en la secuencia final de la primera parte.

Dentro de la prisión del Beaterio, las arrecogías, en
un acto de profunda rebelión, suscitada por la acción
dramática, han empezado en verso libre una canción
coral con estas palabras:

No hay patíbulo capaz de levantarse en ninguna tierra española
para cortar los vuelos de las arrecogías,
porque hasta la tierra pudrirá las maderas
de los patíbulos que se levanten.

Que termina con estas otras:

Que tiene que llegar el día
que se baile con la misma libertad que tiene el viento.

La alegría —la del desafío y la rebelión— que las canciones provocan se contagia a todos los personajes, quienes a un tiempo palmotean y taconean con violencia al
mismo compás, compás que se transforma en ritmo sono-
ro de la acción vivida en palabra, gesto y movimiento.
En ese preciso instante, las luces del teatro se encienden, haciendo visible al público. Desde el espacio del
público, unido por la luz al espacio escénico, Lolilla y

el coro de costureras, pero también los otros actores que estaban invisibles entre el público, como éste estaba invisible en la oscuridad de la sala, se levantan para cantar y bailar en los pasillos, al mismo tiempo que los actores del escenario cantan y bailan en las calles y, a la vez, en el Beaterio, confundidos sala, ciudad y prisión en un solo espacio teatral: el de la fiesta española. Fiesta que, dejando el escenario, baja a la sala: las arrecogías, al bajar a ésta, la transforman en prisión. El espacio del público es identificado con el espacio del Beaterio. Identificación que redobla la simulación de barrotes de rejas de cárcel que se descuelga del teatro. Las canciones que se cantan significan lo mismo para las arrecogías del Beaterio, para las costureras y habitantes de la ciudad y para los espectadores de la España del siglo xx. La fiesta española, por virtud de la mediación de las canciones, se celebra unánime así en los tres espacios —prisión y ciudad del escenario y sala de teatro—, y engloba por igual los dos espacios históricos, el de la Granada del xix y el de la España del xx, unidos en la misma alegría del desafío.

Cuando, como clausura de esta primera parte, desciende un letrero que dice en grandes letras: «Ha terminado la primera parte de esta historia», esta historia, aunque doble en el tiempo histórico, los funde a ambos en la experiencia teatral de la fiesta española.

El lenguaje del teatro, como todo lenguaje literario —según expresó en concisa fórmula Roland Barthes—, sirve para «formular», no para «hacer»[5]. El hacer es, precisamente, la responsabilidad del público en su propio espacio histórico.


3. *Los disfraces*

Aunque brevemente, no quiero dejar de llamar la atención sobre otro de los signos recurrentes de la obra: el uso de los disfraces.

---

[5] Roland Barthes, *op. cit.*, pág. 311.

Varios personajes los llevan: Lolilla y sus costureras, los títeres de feria y el Policía. Todos se mueven y actúan en el exterior del recinto cerrado del Beaterio, en la otra prisión camuflada que es la ciudad.

Cuando Lolilla y las cinco costureras aparecen por primera vez, vienen vestidas, según indica una acotación, de «manolas señoronas, disfraz burlesco para ellas, con pelucones de estilo francés, pintarrajeadas y grotescas». En contraste —contraste de sentido— Lolilla «tiene puesto, a modo de prueba, un vestido grotesco de gusto francés. En la cabeza lleva un enorme pelucón versallesco». Si tenemos en cuenta las funciones de mediación asumidas por esos personajes entre el Beaterio y la ciudad por una parte, y entre ambos y la sala de teatro, es decir, entre la Granada del xix y la España del xx, por otra, y si además consideramos el contraste y la contradicción entre sus vestidos y las acciones que el dramaturgo les encomienda —luchar por la misma libertad por la que luchan Mariana Pineda y las arrecogías— el sentido del disfraz se hace claro: el combate por la libertad **dentro** de un espacio cerrado —la cárcel nacional— que adopta la apariencia de un espacio abierto —las fiestas religioso-populares del Corpus Christi de la ciudad de Granada— podrá ser eficaz en la medida en que se enmascare con los signos de propaganda —alegría, aquí no pasa nada, cultura europea (lo francés, lo versallesco)— puestos en circulación por el régimen oficial. Como la acción dramática muestra con nitidez, la tela de la libertad que Mariana Pineda bordó la suministraron Lolilla y sus costureras.

Del grupo de titiriteros que a la fiesta llegan, dos los representan: El del Muñón y la Muda. La Muda no es muda, su mudez es su disfraz y algo más, según diré en seguida. En cuanto a El del Muñón, he aquí tres de las frases que dice: «Quién les va a meter a éstas en la cabeza lo que somos y lo que fuimos»; y cuando, en son de burla, Lolilla les dice: «¿Quién fuisteis, quién? ¿Acaso de la nobleza de Francia?», responde: «O héroes de la guerra de la Independencia. Lo contrario que pensaste. Qué buena acertaora. ¿No nos ves? Lisiados de la Independencia»; finalmente, a la contrarréplica de Lolilla: «Y lo dicen con ese orgullo, sin temor a la Policía. (...) ¿Y de la gloriosa guerra de la Independencia, habéis pasado al glorioso oficio de títeres?», la respuesta, igualmente burlona, es: «¿Y qué remedio les queda aquí a los héroes?». Las alusiones patentes en el diálogo son claras para el espectador de la España posterior a la guerra del 36. Los héroes de la guerra de la Independencia o deben vivir en la mudez o adoptar el disfraz de los derrotados: el de titiriteros y de títeres de la gran Fiesta nacional, el de feriantes que buscan la salida —la frase es de La Muda— arrastrando su carretón.

El tercer disfraz es el de El Policía que llegó a la tienda de modas de «Madam Lolilla», vestido de señora, por ver si descubre en ella la tela verde de la libertad. Desenmascarado por Lolilla, que le amenaza con unas tijeras al tiempo que de un tirón le arranca la peluca, suceden dos cosas importantes para que se revele el sentido oculto de la acción: 1) Titiriteros y costureras, que antes se enfrentaban entre sí, se unen ahora contra el representante desenmascarado de la autoridad; 2) en auxilio del Policía, acorralado por los títeres y amenazado por las tijeras de Lolilla, llega por el patio de butacas la Policía. El teatro se llena de los sonidos de sus pitos. La luz de la sala se enciende. Desde el escenario los títeres se enfrentan a la autoridad, sacando cuchillos y pistolas. Pero también las gentes escondidas detrás de ventanas y balcones encañonan con fusiles a la Policía. Esta hace intento de subir al escenario. Los actores los encañonan dispuestos a disparar. La Policía vuelve a detenerse. Lolilla, que ha tirado sus tijeras, da una orden: «¡Que nadie dispare! ¡Ni nadie amenace! ¡Fuera los fusiles!», y añade: «Pero sigamos alerta. Ya lo sabéis, en cada casa se esconde un liberal. Pero cuidado con que nadie delate a nadie.» Los actores se van retirando, después de deponer las armas, dando pasos hacia atrás y cantando bajito, mientras palillean con los dedos de la mano, sin dejar de mirar a la Policía y haciéndoles, de esta manera, frente. Se cierran puertas y ventanas, y el escenario queda vacío. Se apaga la luz de la sala. La Policía invade el escenario desierto. Golpea puertas y ventanas y entra a saco en la tienda de modas de «Madam» Lolilla. En ese momento repican a Gloria las campanas del Beaterio y los músicos pasan tocando con mucha alegría.

He citado generosamente las acotaciones del autor para hacer visible la riqueza de información, la espesa contextura de signos teatrales simultáneos que la acción emite, desvelando el sentido de los disfraces y uniendo, una vez más, escena y sala en un mismo espacio histórico.


## 4. *Espacio cerrado*

Hasta ahora he venido utilizando repetidamente la expresión «espacio cerrado». Es tiempo de que nos detengamos en sus formas de manifestación dramática y en sus significados.

El primero y principal de los espacios cerrados es el del Beaterio. En su interior se desarrolla, como núcleo de la acción global del drama, la historia, sincopada en unos cuantos segmentos representativos de los últimos días de Mariana Pineda, condenada a muerte en un juicio al que no se le permite asistir. Su sentencia de muerte es firmada por aquellos mismos que fueron sus cómplices y que al firmar su sentencia aseguran, con la muerte de la heroína granadina, su silencio. Lo importante no creo, sin embargo, que esté sólo en esta historia, cuyo sentido, por otra parte, es muy claro, y en el que no juzgo necesario detenerme. Lo importante está también en las proteicas relaciones de las arrecogías entre sí y entre éstas y Mariana Pineda.

Cada una de las arrecogías, con su nombre en donde se funden el nombre de pila individual y el alias popular —Carmela «La Empecinada», Paula «La Militara», Aniceta «La Madrid», etc.— representan vidas y experiencias existenciales distintas, con sus sueños, sus desgracias, sus pecados y sus miedos distintos, individualizados, pero también —y es lo que se cifra en el alias— experiencias colectivas, en cuanto representativas de la colectividad que las rechaza y que se olvida de ellas, encerrándolas, sin darles la oportunidad, como a Mariana Pineda, de defenderse. En la primera parte cada una de ellas se defiende de su miedo, atacando a cada una de las otras. Si dos o más se juntan por un momento, es para atacar con enorme violencia verbal o gestual a las demás. Y si se juntan todas, dejando de atacarse las unas a las otras, es para atacar a Mariana Pineda. Esta sucesión de conflictos y antagonismos en cadena, crea dentro del Beaterio un clima de tensión exasperada, en donde se manifiesta con gran intensidad dramática la experiencia colectiva de la desunión y la confrontación. Encerradas en el mismo lugar, privadas de los mismos derechos, condenadas sin juicio y sin apelación, atrapadas en la misma prisión, ahondan y consolidan su propio infierno al oponerse por la desunión. Esta experiencia básica de la división es análoga, por su sentido, a la experiencia de la división que García Lorca, en el umbral de la guerra civil española, expresó en *La casa de Bernarda Alba,* en donde las hermanas, divididas entre sí, no consiguen unirse para enfrentar unidas el poder de Bernarda. En el drama de Martín Recuerda ocurre, sin embargo, algo que no pudo ocurrir en el otro espacio cerrado de *La casa de Bernarda Alba.* Las arrecogías —y es lo que nos muestra la segunda parte— conseguirán unirse entre sí al unirse a Mariana Pineda, identificando así su combate al de la heroína de la libertad granadina. Esta unión será, no sólo su fuerza, sino la posibilidad única de dar sentido a su combate —como a todo combate por la libertad— sin importar cuál sea el final de la historia en el drama, pues ese final no es ya fin, sino principio de otra historia que debe jugarse fuera del espacio dramático, en el espacio histórico del espectador. Para vencer la tensión y la división que todo espacio cerrado crea, es necesario unirse, pues sólo de esa unión puede venir la ruptura, desde dentro, del mismo espacio cerrado, invalidando, al hacerlo explotar, el «silencio» decretado por Bernarda en el interior de la casa simbólica de la tragedia lorquiana.

La segunda forma dramática que el espacio cerrado adopta en la obra de Martín Recuerda, aunque no escénicamente visible, es aquel revelado en el encerramiento de Sor Encarnación y las veinte mujeres del pueblo, que han elegido una iglesia de la ciudad. Pero la significación de este encerramiento tiene desde el principio un carácter activo. Es un acto de protesta y de rebelión contra el poder que ha decretado el encierro de Mariana y las arrecogías, a la vez que un acto de solidaridad con las encerradas del Beaterio.

La tercera forma, visible escénicamente, de espacio cerrado es —sólo aludiremos a ella, pues ya la hemos comentado— la de la ciudad entera, cuyas casas aparecen con sus ventanas y balcones cerrados. Dentro de ellas, las gentes esperan, vigilantes y alerta, la señal de salir de su encierro y enfrentarse unidas y con las armas en la mano a la autoridad que parece señorear las calles desiertas, pero que retrocede y se detiene cuando la colectividad unida les hace frente.

Los tres espacios cerrados invitan a los mismos actos de unión, de rebelión y de confrontación con el Poder a los habitantes del cuarto y más invisible de los espacios cerrados: el del espacio histórico de donde vienen y en donde están los espectadores.

El espacio dramático cerrado, formulado de muy distintas maneras en términos escénicos, es uno de los elementos estructurales fundamentales, no sólo en las últimas piezas de Martín Recuerda —un teatro de pueblo en *Las Salvajes en Puente San Gil,* una iglesia en *El Cristo*—, sino en todo el teatro español de la posguerra. Por la importancia del tema bien vale la pena detenerse en él, aunque sólo sea aquí para mostrar que su presencia en la dramaturgia de Martín Recuerda no es ni una excepción ni un hecho aislado, sino un fenómeno recurrente, pues forma parte del sistema entero de la dramaturgia española en la era de Franco.

Voy a limitarme a elegir ejemplos representativos de las tendencias más representativas del teatro español contemporáneo. Sólo unos pocos entre los muchos que podría aducir.

1949. Buero Vallejo, *Historia de una escalera*. Tres generaciones recorren un mismo ciclo en el interior de un espacio cerrado: una escalera que sube y baja, pero que no sale ni da a ningún sitio. Al espectador se le fuerza a tomar conciencia de su propio «huis clos» y se le invita, a partir de esa toma de conciencia, previa a toda opción, a decidir si quiere seguir subiendo y bajando la misma escalera o si debe salir de ella.

1953. Alfonso Sastre, *Escuadra hacia la muerte*. Seis hombres —un cabo y cinco soldados— encerrados en un puesto de castigo entre las vanguardias de dos ejércitos, de dos mundos en lucha. En la primera parte viven la experiencia de una situación límite: la del poder. Los soldados matan a quien encarna el principio de autoridad. En la segunda parte viven la experiencia de otra situación límite: la de la libertad violentamente conquistada, pero vivida en la división y en el enfrentamiento, en cuyo seno se destruyen los personajes.

1960. Rodríguez Buded, *La madriguera*. El espacio cerrado es esta vez el de una casa en donde viven hacinadas varias familias e individuos. En la convivencia forzada, impuesta a los personajes por una común situación económica y social, signo de otras formas deficientes de la convivencia, brotan por el más fútil motivo la violencia, la crueldad, la hipocresía, la pequeña guerra sorda que cada uno hace a los demás. La imagen sartriana del *Huis-Clos* —otra vez— se nos impone, degradada y reducida a nuda situación social, en este infierno colectivo de *La madriguera*, cubil a donde unas víctimas han sido empujadas por un común destino económico y social a convivir sin libertad, reducidos en su cerrado espacio a defenderse atacando.

1962. Lauro Olmo, *La camisa*. En el interior de un espacio cerrado, degradado por los signos extremos de la miseria (una chabola), un hombre, Juan, se niega a emigrar y se aferra desesperadamente a su tierra porque sabe que la mayoría de los que emigran no se van, sino que huyen, y que esa huida es la aceptación de la derrota y del fracaso; Juan lucha con la tentación de la huida y se aferra desesperadamente a su hambre; Juan asistirá impotente a la huida de su mujer, que emigrará con los otros, teniendo que desarraigarse. En el interior de ese espacio cerrado al que se aferra el hombre, Juan, para no perder su identidad, no hay para él más que una solución: morir de hambre.

1969. Martínez Mediero, *El último gallinero*. Una abundante multitud de personajes emplumados viven el drama de su encerramiento —en un gallinero, forma extrema de la degradación del espacio cerrado—, encerramiento forzado, dispuesto, no sabemos por quién ni por qué, por un poder exterior al espacio escénico. La privación de la libertad, experiencia básica y desencadenante del drama, origina una acción trepidante en donde las situaciones se encadenan vertiginosamente las unas a las otras con ritmo de orgía carnavalesca, y en la que destacan varias posturas ideológicas encarnadas en distintas aves. Encerramiento y ausencia de libertad encuentran su único escape en el libertinaje sexual, permitido y controlado como un mal menor que funcione como ilusión de libertad. Al final de la obra se desencadena una orgía canibalesca durante la cual el furioso y hambriento gallinero devora a algunos de sus habitantes. La carnicería terminará en una incontrolada y anárquica revolución de todos contra todos, dentro del espacio cerrado del gallinero.

1971. Luis Matilla, *Epercicios en la red*. En el segundo —de los tres de que consta la obra—, *El Premio,* el centro del escenario lo ocupa una estructura formada por diferentes planos, dentro de la cual intenta entrar una pareja de recién casados. Sin puertas ni ventanas por donde ingresar, sólo a duras penas, desgarrándose la ropa, conseguirán introducirse. En su interior, de donde ya no pueden salir, morirá el hombre, víctima de la estructura, y la mujer, indiferente, completamente enajenada, seguirá cosiendo las cortinas, instalada, por fin, en la casa-estructura. En el tercer ejercicio, *El habitáculo,* otra pareja ha conseguido una habitación para vivir, habitación degradada —una vez más— por los objetos y los sonidos que la pueblan, y en donde no se puede vivir ni salir de ella, ni siquiera abrir una ventana a la luz y al aire, pues cualquier abertura al exterior pondría en peligro todo el edificio. Cuando el joven, enloquecido, mata al casero, cuya voz desciende por una trampilla abierta en el techo, otra voz idéntica a la anterior, viene a sustituirla.

Creo que bastan estos ejemplos, de entre los muchos que ofrece el teatro español contemporáneo, para mostrar la constancia del tema estructural —pues no es sólo un tema, sino un elemento estructurante de la acción dramática—, al que vengo llamando espacio cerrado, en el teatro de la España de Franco.

Todos los dramaturgos, aunque con distintos procedimientos y con estilos dramáticos diferentes, van a intentar, sin embargo, lo mismo: invitar a romper desde dentro los muros de ese espacio cerrado, bien mostrando cuáles son los monstruos que todo espacio cerrado engendra fatalmente en su seno, así como los caminos —los verdaderos y los falsos, o los eficaces y los ineficaces— de conjurarlos, bien proyectando desde el escenario —espacio cerrado en el interior de otro espacio cerrado— la necesidad de la lucidez, de la rebelión o de la revolución, aunque sin disimular la posibilidad de su fracaso, o bien, y es lo que hace Martín Recuerda, pero también otros, hacerlo estallar simbólicamente, al romper sus personajes estentóreamente el silencio decretado por la Bernarda Alba lorquiana. Son, sin embargo, las arrecogías del Beaterio quienes, unidas a Sor Encarnación y las veinte mujeres del pueblo encerradas en una iglesia, y a Lolilla la del Realejo y sus costureras, y a todas las gentes de la ciudad de Granada, quienes lo invalidarán para siempre. Para siempre en el interior del espacio dramático. Que suceda lo mismo en el espacio histórico del espectador no depende ya del dramaturgo.

## 5. *Compromiso político, compromiso estético*

Dos dramaturgos españoles, granadinos ambos, García Lorca y Martín Recuerda, han hecho subir a las tablas, exactamente con cincuenta años de diferencia —1927-1977— a su compatriota y conciudadana Mariana Pineda, la heroína de la libertad de Granada de los tiempos del terror absolutista de Fernando VII.

En su relación con el tiempo histórico de Lorca, la Mariana de 1927 era infinitamente menos peligrosa que la Mariana de 1970 —fecha de composición de *Las arrecogías*— en relación con el suyo, pues la posibilidad de identificar la dictadura de Primo de Rivera y la Granada de Mariana Pineda era menos urgente que la misma posibilidad de identificación entre ésta y la dictadura de Franco. Por otra parte, aunque en el drama de Lorca hubiera un doble fondo político, éste quedaba encubierto y desbordado por el tratamiento lírico del tema, mientras que en el drama de Martín Recuerda es su fondo político lo aparente. El dramaturgo de 1970, más maduro como dramaturgo que el Lorca de 1923-27, nos ha dado la versión épica, políticamente comprometida, que no nos dio éste, seguramente porque ese compromiso político no era tan necesario en la España de Lorca como lo es en la España de Recuerda. Hay que afirmar de inmediato que la versión de 1970 es superior estéticamente a la de 1923-27, no por su compromiso político, lo cual cae en el terreno de la ética, no de la estética, sino por sus valores estrictamente dramatúrgicos. Incluso puede decirse que Martín Recuerda lleva a sus últimas consecuencias teatrales aquella concepción lorquiana —incipiente en su *Mariana Pineda,* lograda en las tragedias y farsas posteriores— del espacio escénico como lugar en donde se integran en unidad teatral las artes plásticas, auditivas y coreográficas. Martín Recuerda, por su concepción del espectáculo dramático como lugar del teatro-espectáculo total, por integración de todos los signos en una compleja polifonía sígnica, vendrá a ser el continua-

dor, no el heredero mimético, sino creador de una línea
—la más sólida del teatro español del siglo xx— que,
arrancando de Valle, pasa por Lorca y Alberti.

*Las arrecogías* es el fruto maduro de ese profundo
compromiso del dramaturgo con la política y con la estética, no divorciadas, sino integradas en superior unidad.

# Nuestra edición

Reproducimos fielmente los textos de *Las salvajes...* y de *Las arrecogías...* tal como Martín Recuerda los ha establecido para esta edición, que debe considerarse, por tanto, como primera edición completa. El propio autor ha añadido, sustituido o eliminado palabras, frases o secuencias, especialmente en *Las arrecogías,* que hacen que los textos editados aquí difieran de las anteriores ediciones de ambas obras. En *Las salvajes...* sólo hay cuatro variantes, que van consignadas a pie de página en las notas 7, 8, 26 y 27. En *Las arrecogías...* las variantes son mucho más numerosas. Para recogerlas he procedido del siguiente modo: para las palabras o frases eliminadas por el propio autor he utilizado la letra «e» puesta sobre la palabra que precedía a la supresión, reproduciendo a pie de página lo eliminado; para las palabras o frases sustituidas por otras utilizo la letra «s» puesta sobre la última palabra de la nueva lección, dando a pie de página la antigua; para las palabras o frases añadidas, utilizo la letra «a» puesta sobre la última palabra del nuevo texto, reproduciendo a pie de página la primera y la última palabra de ese nuevo texto. En dos ocasiones, sin embargo, el texto ha sido reelaborado de tal modo por su autor, que he preferido indicarlo en las notas 31 y 33, en las que remito al lector a las páginas finales, en donde reproduzco en Variante 1 y Variante 2 las respectivas lecciones primitivas.

En cuanto a las «notas» he procurado que sean las estrictamente necesarias, y éstas pensadas no sólo para el lector hispano, sino también para los estudiantes extranjeros. De ahí que figuren anotados algunos idiotismos y expresiones del español hablado.

# Bibliografía selecta

A) OBRA DRAMÁTICA DE MARTÍN RECUERDA

## La llanura

Fecha de composición: 1947-1948.
Fecha de estreno: 1954, en los teatros «Isabel la Católica» (Granada), «Lope de Vega» (Sevilla) y «Español» (Madrid), con el texto mutilado por la censura.
Fecha de publicación: 1977 (Estreno, vol. III, núm. 1).

## Los atridas

Fecha de composición: 1950.
Fecha de estreno: 1955, en el teatro «Cervantes» (Granada), con el texto mutilado por la censura.
Inédita.

## El payaso y los pueblos del sur

Fecha de composición: 1951.
Fecha de estreno: 1956, en el teatro «Isabel la Católica» (Granada).
Inédita.

## Las ilusiones de las hermanas viajeras

Fecha de composición: 1955.
Fecha de estreno: 1973, en diversos Colegios Mayores de Madrid.
Inédita.

## El teatrito de don Ramón

Fecha de composición: 1957 (Premio «Lope de Vega», 1958).
Fecha de estreno: 1959, en el teatro «Español» (Madrid).
Fecha de publicación: 1969, Madrid, Taurus y Escelicer.

## Como las secas cañas del camino

Fecha de composición: 1960.
Fecha de estreno: 1965, en el teatro «Capsa» (Barcelona).
Fecha de publicación: 1966 (*Yorick,* núms. 17-18) y 1967, Madrid, Escelicer.

## Las salvajes en Puente San Gil

Fecha de composición: 1961.
Fecha de estreno: 1963, en el teatro «Eslava» (Madrid) y 1972, en el teatro «Quart 23» (Valencia).
Fecha de publicación: 1963 (*Primer Acto,* núm. 48); 1964, Madrid, Aguilar, *Teatro Español, 1962-63;* 1965, Madrid, Escelicer; 1969, Madrid, Taurus.

## El Cristo

Fecha de composición: 1964.
Fecha de estreno: No estrenada en España. Se retransmitió en italiano por la R. A. I. de Roma en 1972 y 1975.
Fecha de publicación: 1969, Madrid, Taurus y Escelicer.

## ¿Quién quiere una copla del Arcipreste de Hita?

Fecha de composición: 1965.
Fecha de estreno: 1965, en el teatro «Español» (Madrid), y 1974, en el teatro de la Cátedra «Juan del Encina» (Universidad de Salamanca).
Fecha de publicación: 1965, Madrid, Editora Nacional y Escelicer.

## El caraqueño

Fecha de composición: 1968.
Fecha de estreno: 1968, en el teatro «Alexis» (Barcelona).
Fecha de publicación: 1969 (*Primer Acto,* núm. 107), y Madrid, Escelicer.

*Las arrecogías del Beaterio de Santa María Egipciaca*

Fecha de composición: 1969-1970.
Fecha de estreno: 1977, en el teatro de la «Comedia» (Madrid).
Fecha de publicación: 1974 (*Primer Acto,* núm. 169), y 1975, en *El teatro y su crítica,* Málaga, Excma. Diputación Provincial.

*El engañao*

Fecha de composición: 1972. Premio «Lope de Vega», 1976.
No estrenada.
Inédita.

*Las reinas del Paralelo*

Fecha de composición: 1974.
No estrenada.
Inédita.

*Crucificación y muerte de Celestina*

Fecha de composición: 1976-1977.
No estrenada.
Inédita.

B)  ESTUDIOS SOBRE MARTÍN RECUERDA

La mayor parte de los trabajos sobre el teatro de Martín Recuerda se encuentra dispersa en diarios de Madrid y provincias, en donde aparecieron con ocasión de los estrenos de sus dramas. Son, por tanto, críticas y entrevistas relativas a estrenos, y no las recogemos aquí. La única «Bibliografía» en donde aparecen recogidas es la de la doctora Carmen González-Cobos Dávila, de la Universidad de Salamanca, todavía inédita. En cuanto a Bibliografías publicadas la más útil es la reciente de la profesora Martha Halsey, número 4 de nuestra Bibliografía. Nos limitamos a recoger aquí una selección de trabajos publicados en revistas especializadas o en libros.

1. ÁLVARO, FRANCISCO, «Las salvajes en Puente San Gil, de José Martín Recuerda», en *El espectador y la crítica (El teatro en España en 1963)*, Valladolid, 1964, págs. 56-61.

2. ÁLVARO, FRANCISCO, «*¿Quién quiere una copla del Arcipreste de Hita?* de José Martín Recuerda», en *El espectador y la crítica (El teatro en España)*, Valladolid, 1966.

3. FERNÁNDEZ SANTOS, A., «Un estreno agitado», *Primer Acto*, 1963, núm. 48, págs. 24-25. (Sobre *Las salvajes.)*

4. HALSEY MARTHA, «La generación realista: A Selected Bibliography», *Estreno*, III, 1977, núm. I, págs. 8-13. (Para Recuerda, págs. 9-10.)

5. HERAS, SANTIAGO DE LAS, «Un autor recuperado: entrevista con J. Martín Recuerda», *Primer Acto*, 1969, núm. 107, páginas 28-31.

6. ISASI ANGULO, AMANDO, *Diálogos del teatro español de la postguerra*, Madrid, Editorial Ayuso, 1974, págs. 249-264.

7. LAÍN ENTRALGO, PEDRO, «En el redaño de Iberia», *Primer Acto*, 1963, núm. 48, págs. 21-23. (Sobre *Las salvajes.)*

8. MARTÍN RECUERDA, JOSÉ. *Teatro: El teatrito de don Ramón. Las salvajes en Puente San Gil. El Cristo*, Madrid, Taurus, 1969. Las cuatro primeras secciones del libro tituladas: I. Martín Recuerda, granadino; II. Testimonio generacional; III. Imagen de un autor, y IV. Ante la obra de Martín Recuerda, contienen los siguientes trabajos: I. José Monleón, «Martín Recuerda o la otra Andalucía», págs. 9-21; Benigno Vaquero Cid, «De Lorca a Recuerda», págs. 22-31; II. Lauro Olmo, «Unas palabras en torno a Pepe Martín Recuerda», págs. 35-36; José María Rodríguez Méndez, «Martín Recuerda, allá en Granada», págs. 37-39; III. «Bibliografía», págs. 43-46; José María López Sánchez, «Teatro universitario en Granada», págs. 47-53; José Martín Recuerda, «Pequeñas memorias», págs. 54-59; IV. «Los estrenos de Martín Recuerda», págs. 63-66; Alfredo Marqueríe, crítica de *El teatrito...*, págs. 67-68; Ricardo Doménech, crítica de *El teatrito...*, págs. 69-70; Francisco García Pavón, crítica de *Las salvajes...*, págs. 70-71; Sergio Nerva, crítica de *Las salvajes...*, págs. 72-73; J. A. González Casanova, «Martín Recuerda, al cine...», págs. 74-84.

9. MOLERO MANGLANO, LUIS, «Teatro español: *El teatrito de don Ramón*, Premio Lope de Vega», *La Estafeta Literaria*, 1959, núm. 169.

10. MONLEÓN, JOSÉ, *Cuatro autores críticos*, Granada, Secretaría de Extensión Universitaria, Universidad de Granada, 1976.

11. MONLEÓN, JOSÉ, «Dos propuestas de teatro popular», *Primer Acto*, 1965, núm. 70, págs. 19-20.

12. MONLEÓN, JOSÉ, «Entrevista con José Martín Recuerda», *Primer Acto*, 1974, núm. 169, págs. 8-11.

13. MONLEÓN, JOSÉ, «Martín Recuerda en Salamanca», *Primer Acto*, 1972, núm. 143, págs. 67-70.

14. OLIVA, CÉSAR, «Un grupo evolucionado dentro de la ge-

neración realista (Aproximación a la obra dramática de Muñiz, Olmo, Rodríguez Méndez y Martín Recuerda)», tesis doctoral, Universidad de Murcia, 1975.

15. Ruiz Ramón, Francisco, *Historia del teatro español. Siglo XX*, Madrid, Ediciones Cátedra, 1975, págs. 502-509.

16. Ruiz Ramón, Francisco, «Notas para una lectura de *Las Arrecogías...*», *Primer Acto*, 1974, núm. 169, págs. 14-15.

17. Vaquero Cid, Benigno, «El teatrito de don Ramón y su mejor crítica», *La Estafeta literaria*, 1959, núm. 172.

18. Vaquero Cid, Benigno, «Sobre *La llanura*», *Estreno*, III, 1977, núm. 1, págs. 18-19.

19. Velázquez Cueto, Gerardo, «José Martín Recuerda. Aportación al teatro español de la postguerra», tesis doctoral, Universidad de Granada, 1975.

# Apéndice cronológico

1804                           Nace Mariana Pineda

1810 Ocupación francesa de Sevilla. Apertura de las Cortes de Cádiz. «Los desastres de la guerra», de Goya (1810-20).

1812 Se aprueba la Constitución. Batalla de Arapiles (Salamanca).

1813 Tratado de Valençay que pone fin a la guerra franco-española. Manifiesto de los «persas» deseando el regreso de Fernando VII.

1814 Restauración de Fernando VII.
Se deroga la Constitución y se inicia la persecución de liberales.

## LOS LIBERALES DE 1810 A 1820, CONSPIRAN

1815 Ejecución del General Porlier después de su fracasado pronunciamiento.

1817 Ejecución del General Lacy, después de su fracasado pronunciamiento.

47

1818 Independencia de Chile.

1819 Pronunciamientos en Valencia y Cádiz. El Coronel Vidal es ejecutado.

El 9 de octubre se casa Mariana con Manuel de Peralta, militar liberal retirado desde 1818.

1820 Riego proclama en Andalucía la Constitución de 1812. Triunfa el pronunciamiento y el Rey es obligado a firmar la Constitución al ritmo popular del «Trágala». Se suprime el tribunal del Santo Oficio y se restablece la libertad de imprenta.

Nace el primer hijo de Mariana: José María.

## LOS LIBERALES DE 1820 A 1823, GOBIERNAN

1821 Se restringe el número de conventos y se suprime el diezmo de la Iglesia. Se organizan las Sociedades Patrióticas y las Secretas (masones, comuneros, carbonarios...). Independencia de Méjico y Perú.

Nace el segundo hijo de Mariana: Úrsula María.

1822 Guerrillas absolutistas. Regencia en Seo de Urgel. Independencia de Ecuador.

Muere Manuel Peralta, esposo de Mariana. Primera causa de infidencia contra Mariana.

1823 Por el Congreso de Verona, Francia envía a «Los cien mil hijos de San Luis», derriba el régimen liberal y restablece el absolutismo de Fernando VII.

Dura represión de los liberales. Riego es ejecutado en la Plaza de la Cebada, de Madrid. Real Cédula por la que se prohíben las sociedades secretas bajo pena de muerte y confiscación de bienes. El pelo largo se considera signo de masonismo.

1824 Batalla de Ayacucho y fin de la dominación española en América.

El 15 de septiembre, Casimiro Brodett, de treinta y un años, «firme y constante constitucional», capitán de Infantería y teniente del Extinguido Regimiento de Infantería de Valencia, con licencia indefinida, pide en carta oficial al Rey, permiso para contraer matrimonio con Mariana. Se ignoran los motivos por los que la boda no se efectuó.

1825 Se fusila al Empecinado.

De 1825 a 1827 no hay informes sobre la vida de Mariana, que desaparece de Granada.

El 8 de enero es nombrado alcalde del Crimen de Granada don Ramón Pedrosa y Andrade.

7 de marzo. Pedrosa descubre una logia masónica cuyos componentes son conducidos a la cárcel, torturados y ejecutados.

1826 Se ejecuta a los Bazán.

1827 Motines y revueltas en Madrid. Los «Apostólicos» incitan a una sublevación a favor de Don Carlos.

1828

Sin precisar fecha, Mariana tiene otro hijo: Luis, cuyo padre se desconoce.

Gran despliegue de la actividad política de Mariana, facilitando falsos pasaportes a los que deseaban huir de las represiones absolutistas.

Ayudó a la fuga de su primo Fernando Álvarez de Sotomayor.

Se sospecha de Mariana y se registra su casa, sin que pueda acusársela de nada.

1830 Se clausuran las Universidades. Derogación de la Ley Sálica. Decreto de Fernando VII acrecentando la represión contra «la facción rebelde e incorregible» de los años 1820-23 que deseaban minar «las ventajas de las importantes mejoras que a beneficio de la paz se han ido sucesivamente introduciendo».

1831 Es ejecutado Torrijos tras su fracasado desembarco en Algeciras. Manzanares fracasa también en su revuelta en la serranía malagueña.

Se intensifican las sospechas sobre Mariana. El 18 de marzo vuelve a registrarse su casa y se encuentra una bandera en la que estaban a medio bordar las palabras «Igualdad», «Libertad» y «Ley». Se la detiene, pero Mariana se finge enferma y se la confina, vigilada, en su casa. Intenta huir, pero es apresada y el 27 de marzo se la traslada a una celda del Convento de Santa María Egipciaca, reformatorio para «mujeres perdidas». El 3 de mayo llega a Granada la confirmación de la pena de muerte de Mariana. Se redobla la guardia alrededor del convento-prisión por miedo a manifestaciones de protesta en su favor. El 24 se la traslada a la cárcel baja para permanecer en capilla.

El 26 de mayo se le aplica el garrote vil en el Campo de Triunfo de la Inmaculada.

1832 Fernando VII, enfermo, restablece la Ley Sálica. La Reina María Cristina es nombrada regente. Se declara una amnistía y vuelven diez mil liberales del exilio.

1833 Muere Fernando VII.

1836 Se exhuman los restos de Mariana de Pineda en el cementerio de Almengor y el síndico señor Granja dijo en el acto: «Una mano impura y homicida firmó su sentencia y mil esclavos se apresuraron a ejecutarla.»

En 1973 se descubre entre las ruinas del Beaterio de Santa María Egipciaca, el «libro de entrada y salida de presas». Data de 1801. En él pueden verse los motivos por los que llegaban las mujeres al Beaterio granadino: robos, prostitución, pero también conspiraciones, actos políticos sin posible explicación, detenciones igualmente no explicadas, todo ello en la época en que fue juez de infidencias don Ramón Pedrosa. Bajo su firma, las presas entraban por tiempo indefinido.

Este libro se conserva en la biblioteca particular del catedrático de Literatura de la Universidad de Granada, don Emilio Orozco Díaz, quien lo descubrió.

(Reproducido, con permiso del autor, del programa de mano del día del estreno de *Las arrecogías...*, en el Teatro de la Comedia de Madrid.)

51

# Las salvajes en Puente San Gil

*A Luis Escobar*

*Las salvajes en Puente San Gil*, estrenada en el Teatro Eslava de Madrid, en 1963, bajo la dirección de Luis Escobar.

## PERSONAJES

LAS BARRENDERAS DEL TEATRO
ROSITA
D. EDELMIRO CLEMENTE
LAS CURSILLISTAS DE CRISTIANDAD
LOLA MUÑOZ
JUAN MALDONADO
EL TAQUILLERO
LOS BORRACHOS DE POZOVERDE
LA MAGDALENA
LA ASUNCIÓN
LA DIVINA

LA CHICA
LA DEL LIMONAR
TERESITA
LA CARMELA
LA FILOMENA
LA CUCUNA
PALMIRA IMPERIO
D. FELIPE
D. PACO
EL ARCIPRESTE DON CELESTINO
EL COMISARIO
POLICÍA

## PRIMERA PARTE

El escenario del viejo teatro. Portón
que da a la calle.

*(Las* BARRENDERAS, *en el escenario.)*
*(Golpes en el portón.)*

BARRENDERA 1.ª— ¡Asómate otra vez; están llamando en la puerta del matadero!

BARRENDERA 2.ª—Que no me dejan barrer ni fregar el escenario. ¡Voy! ¡Voy!
*(Golpes.)*

BARRENDERA 1.ª—*(Con furia arranca carteles de las*

*paredes.)* ¡Fuera estos carteles de Curro Girón! Pero ¿quién viene a pegar aquí carteles de toros?

BARRENDERA 2.ª—Barre, barre, todo el día barriendo, y tú, rompiendo carteles.

BARRENDERA 1.ª—Estoy harta de arrancar carteles. ¡Harta, harta, harta!
*(Golpes.)*

BARRENDERA 2.ª— ¡Que he dicho que voy! *(Delante del portón.)* ¡Que aquí no se venden las entradas! ¡Que la taquilla está en el principio del callejón! ¡Y tú baja de los telares y ponte a barrer!

ROSITA.—*(Acurrucada en lo alto de los telares.)* ¡Dejadme!

BARRENDERA 2.ª—¿Quién te crees que eres, la duquesa de Alba?

ROSITA.— ¡Yo soy la guardarropía!

BARRENDERA 2.ª— ¡Que bajes!

ROSITA.— ¡Que me dejes! ¡Puedo mandar en vosotras si me da la gana!

BARRENDERA 2.ª—¿Qué te parece? Otra vez con segundas.
*(Golpes.)*
¡Que voy! ¡Voy!

BARRENDERA 1.ª— ¡Que no contestes! ¡Son borrachos de Pozoverde! ¡Déjales que llamen!

BARRENDERA 2.ª—Todo Pozoverde, y La Carolina, y Bailén, se han metido en Puente San Gil.

BARRENDERA 1.ª—*(Canta.)* ¡Corazón santo, Tú reinarás! [1]
*(Golpes.)*

---

[1] *¡Corazón santo, Tú reinarás!:* Verso de un himno religioso al Corazón de Jesús. Aquí tiene un profundo sentido irónico, pues

BARRENDERA 2.ª — ¡Que la función no es hasta la noche! ¡Que os vayáis de la puerta!

BARRENDERA 1.ª — ¡Astillas! ¡Astillas otra vez y sangre! Que me echo a temblar cada vez que friego estas tablas. ¡Otra vez me hinqué una astilla en la mano! *(Se muerde la mano.)*

BARRENDERA 2.ª — ¡Carteles por aquí, carteles por allí! Y ahora, éstas que vienen llenarán todo de carteles, de papeles y de trapos sucios.

BARRENDERA 1.ª — Papeles con aceite en los camerinos. Vienen aquí a comer y a beber. Se traen el vino blanco y las aceitunas de esa taberna de enfrente. ¡Mala «perpejía»! [2] ¡Cochinas! ¡Malos cantaores, malas bailaoras, y con más hambre que los del Barranco!

BARRENDERA 2.ª — ¡Fijaros, fijaros, aquí una cantaora dejó una peina! *(Se la pone, canta y baila.)* ¡Me gustas, Carolina, y olé, con el pelo cortao!

ROSITA. — *(Se hace una fiera de pronto.)* ¡Tírale el cubo a la cabeza!

BARRENDERA 2.ª — ¡Me gustas, Carolina, y olé, con el pelo cortao!
*(Golpes violentos.)*

VOZ DESDE FUERA. — ¡Abrid, abrid pronto! ¡Abrid!

BARRENDERA 2.ª — ¡Que aquí no se venden las entradas!

VOZ DESDE FUERA. — ¡Abrid, abrid, abrid!

BARRENDERA 2.ª — ¿Qué quiere el pintor con esos humos? [3]

---

invita a la asociación mental (por contraste) entre el catolicismo «oficial» que el himno encarna y las razones nada «católicas» de los mozos que han venido a Puente San Gil desde los pueblos de la comarca citados en el texto.

[2] *perpejía:* deformación popular de «aplopejía».

[3] *humos:* vanidad, presunción.

Barrendera 1.ª—Las tres de la tarde y tenemos que fregar la sala de butacas, los palcos y el gallinero.

Voz desde fuera.—¡Si no abren la puerta la echo abajo!

Barrendera 2.ª—¡Da la vuelta y entra por el callejón!

Voz desde fuera.—¿Quién mandó arrancar el cartel de la puerta?

Barrendera 2.ª—(De mal humor.) ¿Qué cartel?

Voz desde fuera.—¡Mi cartel! ¡Mi cartel!

Barrendera 2.ª—(Fuerte.) ¡Que no sabemos de nin gún cartel!
(Suenan los golpes con más furia.)

Voz desde fuera.—¡Que abráis la puerta!

Barrendera 2.ª—¡Que te vayas a Madrid a pintar a las madrileñas!

Barrendera 1.ª—¿Qué dice?

Barrendera 2.ª—Que dónde está su cartel.

Barrendera 1.ª—¡A mí, plin! [4] Una no va a saber dónde pone él sus carteles.

Barrendera 2.ª—Es un cartel que pintó para la puerta. Un cartel grande anunciando a las que vienen.

Barrendera 1.ª—¡Un batallón de hombres se han desplazado de Pozoverde! ¡Sólo para verlas! ¡Para verlas! ¡Para verlas ! Irán con ellas los ricos. Don Eldemiro se tomará con ellas unas copitas.

Rosita.—¡Don Eldemiro no irá!

Barrendera 1.ª—¡Baja de una vez y barre los palcos! ¡Que no te la des de loca, que te conozco!

---

[4] ¡A mi, plin! Me tiene sin cuidado, nada me importa.

Rosita.— ¡Que están llamando al teléfono y ninguna lo cogéis!

Barrendera 1.ª— ¡Que lo quemen! (A la Barrendera 2.ª) Más gente que cuando hay toros. Estas mujeres, que dicen que han estado en Pozoverde, pueden más que los mihuras [5].

Barrendera 2.ª— ¡El teatro vendido por tres días! (Golpes en el portón.)

Barrendera 1.ª— ¡Que dejéis de llamar! ¡Que nos traéis locas! Y mi mano, chorreando de sangre, que ni con los dientes puedo sacar esta astilla. (Mordiéndose.) ¡Aaay! (Escupiendo.) ¡Se acabó la astilla!

Barrendera 2.ª—Y que si yo tuviera marío, lo iba a dejar venir esta noche.

Barrendera 1.ª—Para que las espere también en la puerta.

Barrendera 2.ª— ¡Así se pone la puerta esperándolas!

Barrendera 1.ª—En otros pueblos se ha puesto así la puerta.

Barrendera 2.ª—Y están con ellas hasta el amanecer. Y les dejan los bolsillos vacíos. Y rompen los espejos de las tabernas.

Barrendera 1.ª—Y algunos las siguen para estar más noches con ellas.

Barrendera 2.ª—Pues si el mío fuera quien se va de mi casa para estar con ellas, al volver le degollaba y le colgaba como a esos frailes. (Alude a los viejos murales del teatro.)

Barrendera 1.ª— ¡Mirad!

---

[5] *mihuras*: famosos toros de lidia. Las mujeres de la compañía de revistas atraen más gente que la corrida de toros.

*(Se ven caras de hombres entre los hierros de lo alto del portón.)*

¡Otra vez asomándose por los hierros de lo alto!

ROSITA.— ¡Tírales el trapo del suelo a la cara!

BARRENDERA 1.ª— ¡Ahí va! ¡Tomad!

ROSITA.— ¡Y el cubo!

BARRENDERA 1.ª— ¡Y el cubo!

BARRENDERA 2.ª— ¡Bajaros, cafres! [6] ¡Bajaros de ahí! ¡Que si yo fuera vuestra mujer, íbais a soñar conmigo! *(Los hombres hacen preguntas por señas.)*

ROSITA.—*(Que bajó ya de los telares.)* ¡No; nosotras no somos! *(Uno guiña y enseña una pierna.)*

ROSITA.—Qué, ¿queréis ver las piernas? ¡Mirad mis dos cáncanas! ¡Mirad! Pero ¡más secas y pellejas son las de las que vienen! ¡Andad y rabiad, que no hay mujeres para tantos!

BARRENDERA 1.ª— ¡Bájate la falda, Rosita!

ROSITA.—*(Como loca.)* ¡Tomad falda, tomad piernas!

BARRENDERA 2.ª— ¡Eso es! ¡Enrábialos! ¡Enrábialos!

ROSITA.— ¡Tomad faldas, tomad piernas! ¡Vosotros ahí, detrás de esos hierros, y nosotras, mirad! ¡Piernas que te crió, piernas que no tocáis!

BARRENDERA 1.ª—*(Abalanzándose.)* ¡Que te bajes la falda! ¡Que pueden esperarnos a nosotras! ¡Que te bajes la falda!

ROSITA.— ¡Tomad! ¡Tomad!

BARRENDERA 2.ª— ¡Y el caldero!

ROSITA.— ¡Y la escoba! ¡Toda la basura para vos-

---

[6] *cafres:* fig., salvajes, bárbaros.

otros, que habéis venido de Pozoverde en busca de ellas!
¡Tomad, tomad!

BARRENDERA 1.ª— ¡Que rompes los cristales!

ROSITA.— ¡Tomad, tomad, tomad!

BARRENDERA 1.ª— ¡Quítale la escoba!

ROSITA.— ¡Que me dejéis!

BARRENDERA 1.ª— ¡Que te quito la escoba!

ROSITA.— ¡Que los hiero con el caldero! ¡Que te hiero con el caldero!

BARRENDERA 1.ª— ¿A mí?

ROSITA.— ¡A ti! ¡Ahora verás!
(*Griterío de* BARRENDERAS *mientras pelean hasta salir fuera. Golpes en el portón. El empresario,* DON EDELMIRO CLEMENTE, *sale a abrir.*)

DON EDELMIRO.—Voy, voy. ¡Eh, Rosita, Jimena!, ¿qué hacéis? ¿Qué le habéis echado a este cerrojo, que está duro como una piedra? ¡Eh, Rosita! ¡Maldito cerrojo! (*Patea la puerta.*)
(*Las* BARRENDERAS *se asoman a lo alto de los telares.*)

DON EDELMIRO.— ¡Rosita!

LAS BARRENDERAS.— ¡Se fue!

DON EDELMIRO.—¿No oyen que intento abrir? ¡Bajen de ahí! ¡Este cerrojo!... ¡Quitaros de detrás de la puerta por si de una patada os cae el postigo encima! ¡Apartaros!

BARRENDERA 1.ª— ¡Que patee y se parta el pie!

BARRENDERA 2.ª— ¡Calla, que oye!

BARRENDERA 1.ª— ¡Que patee y se parta el pie!

BARRENDERA 2.ª— ¡Que no las deje entrar! ¡Son las señoras del pueblo!

Barrendera 1.ª— ¡Ja, sus maríos se irán con las que vienen!

Barrendera 2.ª— ¡Calla, que nos oye!

Voces desde fuera.— ¡Abra usted!

Don Edelmiro.— ¡Al fin! ¡Las manos hechas polvo! ¿Qué quieren ustedes?

(*Entran las* Cursillistas de cristiandad [7]. *Silencio.*)

Don Edelmiro.—Ustedes dirán.

Una Señora.— ¡Que hable Lola Muñoz!

Lola Muñoz.—Hemos ido a su casa en busca de usted.

Don Edelmiro.—Bueno. Aquí me tienen.

Una Señora.—Antes de hablar con el arcipreste queremos hablar con usted.

Don Edelmiro.—Bueno, ¿y qué quieren?

Otra Señora.—¿Usted ha mandado poner este trozo de papel en la fachada de su teatro?

Don Edelmiro.—No sé bien qué es lo que traen. Está hecho trizas.

---

[7] *Cursillistas de Cristiandad:* en la edición de Taurus (Madrid, 1969) decía, por razones de censura, «las señoras». El sentido que aquí tiene esta denominación es de «las señoras que ofician de jueces de la moral pública». Como personaje dramático tiene una larga estirpe en el teatro español del siglo xx, pues aparece con distintos nombres, bien como individuo o como grupo, en el teatro de Benavente y de Arniches, en Valle-Inclán (la doña Tadea de *Los cuernos de Don Friolera*), o entre los dramaturgos coetáneos de Martín Recuerda, en Carlos Muñiz (*Las viejas difíciles*) y en Lauro Olmo (*La pechuga de la sardina*). Sus antecedentes habría que buscarlos, como tipo literario, en doña Perfecta y en doña Juana Samaniego (*Casandra*), de Galdós, por no citar sino dos de sus más ilustres representantes decimonónicas. La historia del tipo en la literatura española del xix y el xx está sin hacer todavía.

Otra Señora.—Lo han roto los niños de la escuela de Balbina Rondeño.

Otra Señora.—Los niños, que tienen concepto del pudor.

Don Edelmiro.—No veo mal ninguno en el cartel.

Una Señora.—¿Que no ve mal? Son mujeres desnudas las que hay pintadas.

Don Edelmiro.—No diga eso, señora. ¿No vio nunca los anuncios de una compañía de revistas?

Una Señora.—Sepa usted que nosotras hemos estado en Lourdes y en Fátima, y hemos visto Madrid, Lisboa y casi toda Francia.

Otra Señora.—Hemos visto el Pigalle y el Gran Casino. Hemos visto compañías de revistas en el Lido y en el Folies Bergères y en los mejores teatros de París.

Otra Señora.—Sepa usted que España no es un país tan retrasado como revela ese cartel.

Otra Señora.—Nos parece de pésimo gusto haber encargado semejante cartel para colgarlo en la fachada de nuestro único teatro y en nuestra calle principal.

Don Edelmiro.—Sigo diciendo que nada extraño veo. Es un anuncio sin importancia. No hay más que mujeres bailando. El anuncio de una compañía de revistas que viene a un teatro a buscarse la vida. Señoras, por Dios, los teatros de España están llenos de compañías de revistas. Es lo único que sostiene los teatros. ¿Qué malo tiene eso, señora? Puente San Gil es un pueblo con siete parroquias y una legión de gente de Acción Católica. El espectáculo que traigo a mi teatro es altamente moral. Fíjense, señoras: el libreto tiene dada la censura por Madrid y a pesar de ello, lo he vuelto a revisar y he tachado algún chiste de mal gusto. ¿Creen ustedes que yo puedo dar en mi teatro un espectáculo que no sea digno? ¡Por Dios, señoras, por Dios! Me afligen de verdad.

UNA SEÑORA.—Nosotras sabemos muy bien a lo que venimos y lo que queremos decir.

DON EDELMIRO.—Y yo sé muy bien lo que puedo dar en mi teatro. El arcipreste ha revisado el libreto. Revisado a su vez por altas jerarquías de Madrid. Balbina Rondeño ha revisado las fotografías de la propaganda y ve perfectamente honestos los trajes de la compañía. Este cartel, señoras, no tiene más que las mujeres enseñan las piernas; pero fíjense en este otro: el maillot les llega hasta un sitio prudente. Además, yo soy el que podía quejarme a ustedes; han roto una cosa de mi propiedad. ¡Un cartel pintado con arte! Miren: hecho pedazos, y ahora, ¿qué quieren ustedes?

UNA SEÑORA.—Primero, decirle su improcedencia y falta de respeto; sus anuncios por la emisora local, lo mismo que este cartel, no pueden ser más insinuantes. Venimos a prevenirle por las buenas, porque usted es cristiano.

DON EDELMIRO.—Señoras, ¿cómo dudar de mi fe? ¿Qué quieren ustedes decir?

UNA SEÑORA.—No nos importa que usted traiga una compañía de revistas; como usted dice, y lleva razón, las compañías de revistas van por todas partes. Nosotras no nos asustamos. Hemos vivido la guerra. Hemos aguantado la sed cuando no había agua en el pueblo. Lo que nos importa es «esa compañía de revistas que va a actuar en su teatro».

DON EDELMIRO.—Por Dios, señora, es una compañía mísera y muy humilde, gente noble y buena. La nómina es pequeña. Fíjense que vienen dos matrimonios: el autor del libreto y el maestro de las partituras. Ellos buscan la vida de una manera muy honesta.

UNA SEÑORA.—Y un grupo de mujeres más.

OTRA SEÑORA.—De pésimos antecedentes.

UNA SEÑORA.—Y de pésimos hechos.

OTRA SEÑORA.—Callamos porque hiere a nuestra dignidad lo que podemos decir.

DON EDELMIRO.—Díganme, por favor, lo que quieren decirme.

UNA SEÑORA.—Lo dirá el arcipreste.

DON EDELMIRO.—Piensen que tengo el teatro vendido los tres días de representaciones.

UNA SEÑORA.—Y que todos los hombres de los pueblos anejos han venido a Puente San Gil.

DON EDELMIRO.—Bueno, ¿y qué? Es un espectáculo para hombres.

UNA SEÑORA.—Los hombres que borrachos ya no son hombres, sino fieras.

DON EDELMIRO.—Estamos en fiestas, señoras. La gente se emborracha porque estamos en fiestas.

UNA SEÑORA.—¡Y para esperarlas, después de la función, en la puerta del teatro!

DON EDELMIRO.—Señoras, eso es pensar en lo que nadie pensaría. No tienen derecho a decir eso.

UNA SEÑORA.—Bueno, se acabó. ¡Habla, Lola Muñoz!

LOLA MUÑOZ.—¡Sí, tengo que hablar! ¡He denunciado a esas mujeres! ¡Y he venido de Pozoverde a prevenir para que sepan lo que ha pasado allí y en otros pueblos! ¡Esas mujeres ejercen la prostitución!

DON EDELMIRO.—¡Santo Dios! Pero ¿qué sabemos de ellas si no las conocemos? ¿Qué motivos tienen para hablar así?

LOLA MUÑOZ.—¿Motivos? ¡Mi propio hijo! ¡El marido de Carmela Conde! ¡El hijo de Juana Guzmán! ¡Los escándalos públicos dados en el café del Espejo y en el hotelillo de la Cruz del Sur! ¡Han detenido al

3

hotelero, Juan Pablo, por haberlas dejado ejercer la prostitución en las propias habitaciones de su hotel!

UNA SEÑORA.— ¡Y nosotras hemos dado orden de que nadie las aloje en hotel ninguno de Puente San Gil! ¡Coristas, sí; compañías de revistas, sí; pero prostitución secreta, no se consiente! ¡En el caso de que trabajen en su teatro, dormirán en estas tablas y serán severamente vigiladas!

DON EDELMIRO.— ¡Señora! ¡Cada ser humano manda en sí mismo!

UNA SEÑORA.— ¡Sí, Edelmiro Clemente, como tú has mandado en ti mismo y has hecho tu dinero escudándote en tus cargos oficiales y en el de jefe local del Movimiento [8]

DON EDELMIRO.— ¡No le consiento a usted...!

UNA SEÑORA.— ¡Ni nosotras a usted que solivante a nuestro pueblo y a nuestros hogares con la venida de esas salvajes, que bien sabía usted de sus andanzas! Pero ¡le gustaron siempre los juegos sucios! ¡Ha sido su forma de subir y tener este teatro!

DON EDELMIRO.— ¡Fuera de aquí ahora mismo! ¡Están faltando a mi honradez! ¡Fuera de aquí inmediatamente!

UNA SEÑORA.— ¡Sí, con muchísimo gusto! ...

(*Salen las* SEÑORAS. DON EDELMIRO *cierra bruscamente el portón. Las* BARRENDERAS *bajan de los telares como arpías.*)

BARRENDERA 1.ª— ¡Don Edelmiro!

BARRENDERA 2.ª— ¡Don Edelmiro!

BARRENDERA 1.ª— ¡Espere, don Edelmiro!

---

[8] *jefe local del Movimiento:* suprimido también en la edición Taurus.

BARRENDERA 2.ª— ¡No les haga caso!

BARRENDERA 1.ª— ¡No tienen la conciencia tranquila!

BARRENDERA 2.ª—¿Qué derecho tienen a decir eso?

BARRENDERA 1.ª—Por todo el pueblo lo dicen.

BARRENDERA 2.ª—¿Sabe usted por qué?

BARRENDERA 1.ª—¿Lo sabe?

BARRENDERA 2.ª—¿Por qué teme doña Manuela González, eh?

BARRENDERA 1.ª—¿Por qué teme Constantina Cruz?

BARRENDERA 2.ª—¿Por qué teme doña Magdalena Jiménez, eh?

DON EDELMIRO.— ¡Hablad! ¡Hablad! ¿Por qué temen? ¿Por qué?

BARRENDERA 1.ª—¿No recuerda del marido de Constantina Cruz, eh? ¡No podía ella con él, siempre en el casino jugando el dinero y sin aparecer por su casa hasta las tantas!

BARRENDERA 2.ª— ¡Hastiado de Constantina!

BARRENDERA 1.ª—Porque se casó con ella sin enamoramiento. ¡El marido de Constantina Cruz es otra cosa que yo bien me sé! ¡Me lo sé bien! ¡Siempre detrás de las niñas!

BARRENDERA 2.ª— ¡Jimena, calla!

BARRENDERA 1.ª— ¡Nada, no callo! ¡Los maridos de las damas no tienen la conciencia tranquila! Ellas desconfían de ellos y hacen sus reuniones para pedirle a Dios por los muertos, porque eso es lo que son: ¡muertos del casino!

BARRENDERA 2.ª— ¡Y ahora, con el cura nuevo, que sabe bien apostolarlos, los muertos del casino quieren también ser cristianos, porque dicen, de pronto, que están arrepentidos de sus pecados!

BARRENDERA 1.ª— ¡Y se ofrecen a trabajar en la construcción de la carretera del Barranco y en la construcción de la escuela y la iglesia del Barranco!

BARRENDERA 2.ª— ¡Nada, no creemos en ellos, por muy piadosos que sean!

BARRENDERA 1.ª—Y eso es lo que temen ellas. ¡Desconfían de que ese arrepentimiento sea verdadero!

BARRENDERA 2.ª— ¡Y saben que ellos pueden ser los primeros en esperar en la puerta del teatro a las coristas!

BARRENDERA 1.ª— ¡Eso es! ¡Desconfían! ¡Entre ellos se entienden bien!

BARRENDERA 2.ª—¿Quién se fue a Málaga con la mujer aquella del café? ¡El marido de Constantina Cruz!

BARRENDERA 1.ª— ¡Y entonces presumía de cristiano!

BARRENDERA 2.ª— ¡Que no creo en éstos ni en los otros! ¡Ellas están temerosas porque son viejas y sus maridos se aburren y se les van!

BARRENDERA 1.ª— ¡Se les terminó el amor!

BARRENDERA 2.ª— ¡Mire, don Edelmiro, así el casino de parásitos! ¡A las tres de la tarde, así está el casino de parásitos! ¡De trasnochadores, de borrachos! ¡Eso son ellos!

BARRENDERA 1.ª— ¡Hable usted con el arcipreste! ¡Que son capaces de todo!

BARRENDERA 2.ª— ¡De todo!

BARRENDERA 1.ª— ¡Hay que darse cuenta del cansancio! ¡Son matrimonios que pasan años y años sin mirarse a la cara!

BARRENDERA 2.ª— ¡Aburridos!

BARRENDERA 1.ª— ¡Viven sin cariño! Ya lo he dicho.

BARRENDERA 2.ª—Se van a Córdoba y a Málaga huyendo y vuelven con las mismas caras de cansancio.

BARRENDERA 1.ª—Y a las tres de la tarde, al casino.

BARRENDERA 2.ª— ¡Hable con el arcipreste!

(*Entra* JUAN MALDONADO.)

LAS BARRENDERAS.— ¡El pintor! ¡El pintor!

JUAN.— ¡Don Edelmiro!

DON EDELMIRO.— ¡Dejadme en paz! ¡Son las tres de la tarde y quiero dormir la siesta! ¡Si han roto tu cartel, aguántate! Además, ¿por qué has colocado el cartel a estas horas del día? Cae el sol de plano y no pasa nadie por la calle. ¡Todo el camino lo tienen libre para quitar el cartel! ¡Hay que poner el cartel por la tarde, cuando pase la gente y tengan que aguantarlo!

BARRENDERA 1.ª— ¡Mira, Juan Maldonado tiene sangre en la sien!

BARRENDERA 2.ª— ¡Sí, sangre en la sien!

JUAN.— ¡Quiero irme de aquí, don Edelmiro! ¡Me miran como a inquisidor! En la taberna del Ratón unos borrachos me han apedreado, sabe Dios mandados por quién. ¡Han destrozado mi cartel sin motivo! ¡Quiero irme de aquí! ¡Quiero irme de aquí!

BARRENDERA 1.ª—¿Por qué no te fuiste ya?

BARRENDERA 2.ª— ¡Eres un cobarde!

BARRENDERA 1.ª— ¡Pintando como pintas!

BARRENDERA 2.ª—Te han hecho sangre en la sien. ¡Animales, bestias! ¿Qué hacemos aquí paradas? ¡Vamos a apedrear la casa de Constantina Cruz! ¡Coge esos palos! ¡Vamos, a cogerlos!

(*Entra* ROSITA *corriendo.*)

69

Rosita.— ¡Don Edelmiro, han llegado! ¡Están en la estación con el equipaje! ¡Están en la estación y ningún mozo quiere coger las maletas! ¡El alsina [9] no quiere traerlas! ¡El coche pirata de Nicolás Ruiz, tampoco! ¡He corrido en busca de Antón Sánchez y no quiere ir!

Barrendera 1.ª— ¡Nosotras iremos por sus baúles! ¡Mirad mis espaldas! ¡Anchas como un mozo de cuerda!

Barrendera 2.ª— ¡Y yo con estas manos puedo partir una maroma! (*Grita, intentando partir una maroma.*)

Barrendera 1.ª— ¡Vamos por los baúles! ¡Y que nos digan algo!

Barrendera 2.ª— ¿Quién nos da de comer? ¿Son las señoras? ¿Decid, son ellas?

Barrendera 1.ª— ¡Otra vez los hombres asomándose por entre los hierros!

Barrendera 2.ª— ¡Otra vez!

Don Edelmiro.— ¡Abrid la puerta y que quede abierta de una vez! ¡Eh, vosotros, bajaros de ahí! ¡Las entradas por la puerta del callejón! ¡Abrid la puerta!

(*Como bestias abren el portón. Los hombres de la calle huyen.* Don Edelmiro *sale con las* Barrenderas. *En un gesto de furia,* Juan Maldonado *se toca la sangre de la sien y quiere llorar de rabia.*)

Rosita.— ¡Bueno, ya está bien! Han roto tu cartel, bueno, ¿y qué? Ayúdame a abrir la puerta de la guardarropía, que tengo que sacar los muebles que han pedido. Pero ¿qué tienen las puertas de este teatro? ¡Trae esa estaca!

Juan.— ¡Quita de ahí!

Rosita.— ¡Quieto! ¿Vas a abrir de una patada? ¡Bien pudiste emplear el coraje con los de las pedradas!

---

[9] *alsina:* coche de línea. Se refiere a una compañía llamada así, que opera en Cataluña, Levante y Andalucía.

JUAN.— ¡Esto no quedará así!

ROSITA.—¿Quién fue, di, quién fue? (*Le coge la cabeza y lo besa apasionadamente.* JUAN *la aprieta entre sus brazos.* ROSITA *huye a los telares.*)

(JUAN, *de una patada, abre la puerta de la guardarropía.*)

JUAN.— ¡Ya tienes la puerta abierta! ¡Toma la puerta de tu cuadra! ¡Baja y abre una ventana de esas o enciende una vela! ¿Qué quieres sacar de aquí, di; qué quieres sacar? ¡Baja o respóndeme! ¡He dicho que hables!
(ROSITA *corre, gritando, por los telares.* JUAN *sube y la persigue.*)
¿Por qué temes? ¿Por qué me temes si soy tan cobarde?

ROSITA.— ¡No te acerques!

(ROSITA *le amenaza con una estaca.*)

JUAN.— ¡Quiero besarte otra vez!

ROSITA.— ¡Me he arrepentido de besarte!

JUAN.— ¡Tú no besas más que a los que vienen!

ROSITA.— ¡Son a los que me gusta besar!

JUAN.— ¡Un día acabarás enamorándote de mí, y entonces será tarde!

ROSITA.— ¡Nunca! ¡No me gusta nadie de este pueblo, sino los forasteros que vienen y no vuelvo a ver! ¡Con ésa es la gente que me gusta besarme, con la que no vuelvo a ver nunca más! ¡Vosotros, los que veo todos los días, no sabéis más que despedazarme el corazón!

JUAN.— ¡Estás deseando de abrazarme!

ROSITA.— ¡No te acerques! ¡Gritaré!
(*Grita como una condenada. Interrumpe, colérico, el* TAQUILLERO.)

TAQUILLERO.— ¡Don Edelmiro! ¿Dónde está? ¿Hay derecho a esto? ¡Un municipal ha llegado a la taquilla a decirme que no venda más entradas! ¡Al gobernador telefoneo ahora mismo; ¡Don Edelmiro! ¡Treinta y dos mil pesetas de media! ¡Bajad de ahí ahora mismo! ¡Vosotros, sí, bajad de ahí ahora mismo!

*(Violentamente se cuelan unos borrachos.)*

BORRACHO 1.°— ¡Está la puerta abierta! ¡Que empiece la función! ¿Dónde están las artistas? ¡Enciende el mechero!

ROSITA.— ¡Oigan ustedes, salgan de ahí en seguida!

BORRACHO 1.°—Aquí llega una. Baja, guapa.

ROSITA.— ¡Les digo que se vayan de ahí!

BORRACHO 2.°—No queremos. Hemos venido a bailar con vosotras.

ROSITA.— ¡Váyanse! ¡Borrachos a las tres de la tarde! ¿Qué van a dejar para luego?

BORRACHO 1.°— ¡Baja tú!

ROSITA.— ¡No me da la gana!

BORRACHO 1.°—Mira, plumeros, plumeros de mujer. ¡Qué olor!

ROSITA.— ¡Dejen esos plumeros, que no son suyos!

BORRACHO 2.°—*(Disgustado.)* ¡Estos trajes son de la Chica! ¡La Chica está escondida por aquí! ¡Chica, sal! ¿Dónde estás metida? ¡He venido en tu busca porque estoy enamorado de ti! ¡Chica, sal! ¡Estos son tus trajes! *(Llora.)*

ROSITA.— ¡Salga inmediatamente! ¡Aquí no hay escondida ninguna mujer!

BORRACHO 2.°— ¡Aquí está la Chica! La llevo buscando tres días. Aquí está la Chica y yo tengo que encontrarla.

Rosita.— ¡Pues yo le voy a echar a la calle como un perro muerto si no deja los trajes de mi propiedad! ¡Ese es mi guardarropía! ¡Los trajes cuestan un capital y usted los está arrugando!

Borracho 2.º— ¡Es la ropa de la Chica!

Rosita.— ¡No conozco a ésa! ¡Fuera ahora mismo del teatro y a seguir bebiendo!

Borracho 2.º— ¡Pues tú tienes que saber dónde está!

Rosita.— ¡Que se vayan!

Borracho 1.º— ¡Queremos entradas!

Rosita.— ¡Que dejen los trajes!

Borracho 2.º— ¡Me llevo el traje de la Chica!

Rosita.— ¡Deje usted eso en su sitio! ¿O es que han venido a robar en mi ropero? Pero ¡con esta estaca os echo de aquí!

Borracho 1.º—Baja, anda.

Rosita.—¿Que si bajo? ¡Borrachos! ¡Hale! ¡Señoritos de Pozoverde! ¡Hale de aquí! ¡Hale de aquí! *(Los echa a palos.)* ¡Otra vez el teléfono! ¡Que le peguen fuego!

*(Entran las* Barrenderas, Don Edelmiro *y el* Taquillero.)

Barrendera 1.ª— ¡Las hemos encontrado por el camino!

Barrendera 2.ª— ¡Aquí vienen!

El Taquillero.— ¡Le digo, don Edelmiro, que nos prohíben seguir vendiendo!

Don Edelmiro.—Baja, Juan Maldonado. ¡Ayúdanos!

Barrendera 2.ª— ¡Rosita, Juan, salid al callejón para ayudarnos!

EL TAQUILLERO.— ¡Don Edelmiro, la taquilla!

DON EDELMIRO.— ¡Ayuda y calla!

EL TAQUILLERO.— ¡La taquilla! ¡La conferencia!

DON EDELMIRO.— ¡Tira de este cajón!

EL TAQUILLERO.—Los municipales dicen que no sigamos vendiendo.

DON EDELMIRO.— ¡A la taquilla! ¡El teatro es mío! ¿Quiénes son los municipales, el alcalde ni nadie para prohibir un espectáculo que viene censurado por Madrid? ¡Un espectáculo que se ha dado en muchísimos pueblos! ¡A la taquilla! ¡Y ya voy yo después! ¡Veremos quién tiene valor de decirme a mí que prohíba mi espectáculo! ¡Que llegan! ¡Y que nadie hable aquí de prohibiciones!

ROSITA.— ¡Montadas en una carreta! ¡Y la carreta no puede subir por el callejón! Juan, viene una negra con ellas.

BARRENDERA 1.ª— ¡El pueblo, así, detrás!

EL TAQUILLERO.— ¡Es la mejor propaganda!

DON EDELMIRO.— ¡Callen y salgan en su ayuda!

(*Va entrando la compañía de revistas de* PALMIRA IMPERIO.)

DON EDELMIRO.— ¡Señoritas, señoritas, por aquí!

LA MAGDALENA.—Pero ¿esto qué es? ¡La fin del mundo!

LA ASUNCIÓN.— ¡Echad a todos esos tíos fuera!

LA DIVINA.—Vengo con ansias de devolver.

LA MAGDALENA.—Pero ¿esto qué es? Digo, los tíos, ¿qué te parece?

LA ASUNCIÓN.— ¡Que no es mi santo!

74

La Chica.— ¡Si alguno quiere llevarme las maletas!

La Magdalena.— ¡Que no les deis conversación, que se cuelan dentro!

Don Edelmiro.—Pongan las maletas por aquí.

La del Limonar.—Pero bueno, ¿dónde está el hotel?

Barrendera 1.ª— ¡Eh! ¿Es que vais a estar ahí parados todo el día?

La Magdalena.— ¡Que no les deis conversación!

Don Edelmiro.—Por aquí, por aquí; entren a los camerinos.

Teresita.—Y el hotel, ¿dónde está?

La Carmela.— ¡Una ducha ahora mismo!

Don Edelmiro.— ¡Ea, ea, acaben de entrar!

Don Felipe.—Y vosotros, ¿es que nunca habéis visto a unos artistas?

La Filomena.— ¡Calla, Felipe!

La del Limonar.—Carmela, ¡que se cuelan dentro!

La Asunción.—Pero ¡baja de la carreta, Cucuna!

La Magdalena.— ¡Echa la maleta!

La Asunción.— ¡Fíjate el vestido: un clavo me ha sacado la tajá! [10].

La del Limonar.—Bueno, don Felipe, ¿habrá que darle algo al hombre de la carreta?

La Magdalena.— ¡Oiga usted, que le pego a usted una «bofetá» antes de decir amén! ¡Digo, el tío viejo, que no hace más que tentarme! ¡Que le tiro a la acequia de un puñetazo! ¡Sí, a usted! ¡Eso es lo que le digo!

_____

[10] *tajá:* vulgarismo metafórico por trozo de tela desgarrado.

La Asunción.—Pero ¡cierra la puerta de una vez!

La del Limonar.— ¡Acabad con las maletas!

La Asunción.—Deja la puerta a medio abrir.

Don Edelmiro.— ¡Por aquí, por aquí, colóquense por aquí! Pero ¡qué disgusto! Hay toros, saben, y todos los coches piratas y las alsinas han ido a la plaza. Como no sabe uno el retraso que va a traer el tren, no mandé una alsina a la estación. Yo esperaba a ustedes a las siete y cuarto.

Don Felipe.— ¡Mis partituras, mis partituras! ¡Filo, mis gafas! ¡Han volado mis partituras! Por favor, déjenme pasar. ¡Filo, Filo!

La Magdalena.—Como no acabe la negra de bajarse, vamos a tener función para todo el día. ¡Bájate ya, negra!

La Asunción.—Como la pongáis en mi camerino, soy capaz de vestirme en el retrete. ¡Bájate ya, negra!

La del Limonar.—Magdalena, ¡como no cerréis pronto la puerta, con este tío me lío a bofetadas!

Don Edelmiro.— ¡Acomódense! ¿Quieren decirme dónde está Palmira?

La del Limonar.—No quiso subirse en la carreta y se sentó en el café de la estación.

La Asunción.—A esperar noticias, porque vaya recibimiento.

Don Edelmiro.— ¡Pobre Palmira! En un momento me largo a la estación.

(*Salen* Don Edelmiro *y* Juan Maldonado. *Llega el* Borracho 2.º)

Borracho 2.º— ¡Chica!

La Chica.— ¡Carlos!

LA ASUNCIÓN.— ¡Mira, Carlitos!

LA DEL LIMONAR.— ¡Carlitos!

LA CHICA.— ¡Cómo hemos llegado, Carlitos! ¡El tren, abarrotado! ¡Las gargantas, secas! ¡Una mujer vendiendo el vaso de agua a dos reales!

DON FELIPE.— ¡Vamos, señoritas! (*El* BORRACHO *se va.*) ¿Están todas? Gracias que encontré las gafas. Filo adorada, ¡tenemos que ensayar el número del charlestón! ¡Cierren esa puerta de una vez! ¿Falta algo en los equipajes?

LA ASUNCIÓN.—(*A la* DIVINA.) ¡Quítate de la puerta, que van a cerrar!

LA DIVINA.—Niño, ven; toma un caramelo.

LA ASUNCIÓN.— ¡Qué te quites de la puerta!

LA DIVINA.—Toma, niño, un caramelo.

TERESITA.—Carmela, ¡en la viga hay un nido de golondrinas! ¡Ha salido una por aquella ventana!

LA MAGDALENA.— ¡Mirad, las paredes con pinturas de frailes degollados!

LA FILOMENA.— ¡A ese tío le degüello! Pues no se ha subido en los tejados de enfrente para vernos en combinación. ¡Una tabla! ¡Una buena tabla! Pero ¿no hay por ahí una tabla para cerrar la ventana?

LA ASUNCIÓN.—(*Tirando fuera del camerino una maleta.*) ¡Que te vayas de aquí tú y tu maleta! ¡El demonio de la negra, que siempre se tiene que meter en mi camerino!

TERESITA.—Ven, Cucuna, ven. Puedes poner tus cosas en el mío. Sí, Cucuna.

LA MAGDALENA.—Pero ¿qué modos son éstos de tratar? Si yo fuera Cucuna te abriría la cabeza en pedazos. ¡Qué mala leche! ¡Le han roto el espejo!

La Filomena.—*(Desde dentro.)* ¡Calla, jerezana, co-lillera, que has estado toda la vida vendiendo tabaco! ¿Cuándo te has visto en otra?

La del Limonar.— ¡Eh! ¿Quién barre esto? ¡Dos dedos de polvo tienen los lavabos! ¡Eh, usted, cánca-na! [11] ¿Es usted la barrendera?

Barrendera 1.ª—Yo misma.

La del Limonar.— ¡Pues traiga usted unos vendos! [12] ¡Santa Rita la llorona!

La Asunción.—Pero bueno, ¿así vamos a estar todo el día? ¡Vamos, al menos, a la feria!

Don Felipe.— ¡El número, el número de charlestón!

La Magdalena.— ¡Ja! A las tres de la tarde y con la barriga vacía me voy a poner yo a bailar.

La Filomena.—¿Quién quiere una «tajá» de melón? ¡Qué dulce está!

La Magdalena.—Trae una cala.

La Asunción.—Por más que he metido en la rifa del manco que venía en el tren, no me ha tocado ni el car-tucho de caramelos ni el melón.

La Magdalena.—¿Eh, qué estás haciendo ahora?

Teresita.—Pego una estrella en el camerino de Pal-mira. ¡Qué bonito rayo de sol entra y da en la estrella! Parece este teatro una iglesia pequeña.

La Magdalena.—¿Quién canta ahora?

La del Limonar.— ¡Santa Rita la llorona, si no me engaño, por aquí cerca hay un convento!

---

[11] *cáncana:* en su sentido recto, según la definición del Dic-cionario de la Real Academia de la Lengua: «Araña gruesa de patas cortas y color oscuro.» Aquí, apelativo despectivo, que nos deja ver cuerpo y color del vestido de la Barrendera 1.ª

[12] *vendos:* en Andalucía y Cuenca, zorros para sacudir el polvo.

La Asunción.—Son cantos de monjas.

La del Limonar.—¿Qué te parece, Magdalena? Los tíos como puñaos de moscas en la puerta, casi el pueblo entero en los toros y éstas cantando a estas horas.

Teresita.—¡Vamos a subir en las sillas para verlas!

La Carmela.—¡Socorro! ¡He abierto la puerta de mi camerino y ha salido un tío! ¡Mirad, va por allí!

La Asunción.—Ya dijimos que cerrarais bien la puerta.

La Magdalena.—Mujer, será el portero.

La Carmela.—¡Qué disparate! Ha salido corriendo. ¡Miradlo!

La Magdalena.—¡Como vuelva usted otra vez, lo linchamos!

Teresita.—¡Mirad, mirad aquéllos subidos en los hierros del portón!

La Magdalena.—¡Pues dejadlos como cosa perdida! ¡Que miren! Don Felipe, ¡música!

(Don Felipe *toca un charlestón en un casi derruido piano. La* Magdalena, *la* Asunción *y la del* Limonar *bailan.*

Rosita *sale de uno de aquellos camerinos y se pone a bailar con ellas.*)

La Asunción.—¿Quién es ésta?

Rosita.—La guardarropía.

La Carmela.—(*Saliendo a la puerta de un camerino.*) ¡Dejaros de bailar! ¡Como no me den cuarto con ducha, dejo ahora mismo la compañía!

La Asunción.—¡Ajá!

La Carmela.—¡Dejad de bailar, que me estalla la

cabeza! ¡Filomena, dame una pastilla de aspirina! *(Se entra al camerino.)*

LA MAGDALENA.—¡Ja! Se creerá que no sabemos los años que tiene. Siempre con la aspirina y las cremas y la carne cayéndosele a pedazos. ¡Anda, hija, e intoxícate!

LA ASUNCIÓN.—Un día se envenena con las pastillas.

LA I EL LIMONAR.—¡Qué poco le queda al gallo duro que pelar!

LA MAGDALENA.—No dirá usted, don Felipe, que no somos buenas chicas. ¡Con la lengua fuera y nos ponemos a bailar!

LA DEL LIMONAR.—Negra, ¡vamos a bailar, hija!

LA MAGDALENA.—Ya se quedó otra vez la Divina en la muda.

TERESITA.—Divina, Divina...

LA DIVINA.—*(Que sigue junto al portón.)* Cuando quise darle el caramelo se asustó de mí y se fue calle abajo...

TERESITA.—Pero ¿por qué lloras?

LA DIVINA.—Porque he querido darle un caramelo al niño y el niño se fue huyendo... ¡Qué cara no tendré ya!

*(Golpes en el portón.)*

VOCES DESDE FUERA.—Rosita, Jimena, ¡abran la puerta!

DON FELIPE.—¿Quién interrumpe? ¿Quién es otra vez?

VOCES DESDE FUERA.—¡Abran la puerta!

ROSITA.—Es don Edelmiro.

VOCES.—¡Abran la puerta!

BARRENDERA 1.ª—¡Voy! ¡Barro el palco y no se oye con las del charlestón!

LA ASUNCIÓN.—¡Otra vez el empresario!

LA MAGDALENA.—Y ahora con humos. ¡Vamos, negra, que te toca a ti!

(*La* CUCUNA *baila.*)

LA ASUNCIÓN.—¡Eso es! ¡Eso es!

LA DEL LIMONAR.—Baila como una sanguijuela.

(*Entran* DON EDELMIRO, DON PACO *y la* PALMIRA.)

DON EDELMIRO.—Por aquí, Palmira, por aquí.

LA ASUNCIÓN.—Andando. La Palmira con cara de hurón.

LA PALMIRA.—¡Buena limonada! ¡Esas mujeres son capaces de todo! ¡Esas nos preparan un meneo y nos quitan medio teatro! Bueno, ¿dónde está mi cuarto?

DON EDELMIRO.—Por aquí, Palmira.

DON PACO.—Déjame llevar la maleta.

LA PALMIRA.—¡Vengo de una leche...! [13]

DON EDELMIRO.—Pero, por Dios, Palmira.

LA PALMIRA.—¡Lo que faltaba! (*Se le abrió la maleta.*) ¡Dejad, dejad! No hace ninguna falta que me ayudéis...

DON PACO.—Pero, Palmira...

LA PALMIRA.—¡Mi camerino! ¿Cuál es al fin mi camerino? ¡Esta maldita ropa! Pero ¡sal y busca un mozo y que el equipaje lo lleven al hotel! Pero ¿qué hotel había dispuesto usted para nosotras? Porque supongo que

---

[13] ... *de una leche...!:* expresión grosera que significa «con mal humor, con mal genio».

nos alojaremos en algún hotel... ¡Maldita ropa! ¡Y esta cerradura...!

Don Paco.—Palmira, Palmira...

La Palmira.— ¡Dejadme! *(Entrando al camerino.)* ¿Qué camerino es éste, sin espejo y sin lavabo? En muchos pueblos hemos trabajado, pero todos los teatros de esos pueblachos tenían sus camerinos con sus espejos. *(Saliendo y gritando histérica):* ¡Que dejéis de bailar!

*(Silencio. Don Edelmiro se encierra en su despacho.)*

Bueno..., ¿quiénes fueron las tres que en Pozoverde se alojaron en el hotel de la Cruz del Sur?

La del Limonar.—Yo fui una.

La Asunción.—Y yo, otra.

La Chica.—Y yo.

La Palmira.—¿Sabéis que el hotelero está detenido por vuestra culpa?

La Asunción.—¿Nosotras?

La Palmira.—Claro. Con razón tenéis esas caras. Teníais que ser las que hemos contratado en La Línea de la Concepción. Ya dije que no me gustaban estas caras. ¡Estraperleando [14] tabaco y encendedores estaríais mejor que en mi compañía!

La Asunción.— ¡No sé por qué dices eso!

La Palmira.—¿Que no sabes? ¡Un hombre detenido por vuestra culpa! Y un grupo de mujeres que me aborda en la estación para decirme que estamos vigiladas, como si la compañía de Palmira Imperio fuera cualquier cosa. ¡Esta compañía que mantengo desde hace veinticinco años! ¿Quién de vosotras se llama Encarna López López? *(Silencio.)* ¡A ver! ¡Los «carnets» de identidad! ¿No os movéis? ¡Los «carnets» de identidad!

---

[14] *Estraperleando:* de «estraperlo»: mercado negro.

LA DEL LIMONAR.— ¡Puedes ver el mío en seguida!

LA CHICA.—Yo soy Encarna López López.

*(Silencio.)*

LA PALMIRA.—Bien. Recoge tu equipaje y a la calle. No quiero cuentas con la Policía. Creo que no se te debe nada.

LA CHICA.—Dinero para irme.

LA PALMIRA.—Págate tú el viaje para irte. Estaba en el contrato.

LA CHICA.—No tengo dinero.

LA PALMIRA.— ¡Venga tu bolso!

LA CHICA.— ¡No tengo por qué enseñarle el bolso a nadie! He dicho que no tengo dinero.

LA PALMIRA.— ¡Que venga tu bolso!

LA CHICA.— ¡Quieta! ¡No te acerques a mí!

LA PALMIRA.—Tú tienes dinero en tu bolso. El dinero que anoche te dio don Jorge, el juez de Pozoverde.

LA CHICA.—No me dio ningún dinero. Estuve con él, a última hora, por compasión.

LA PALMIRA.— ¡Abrid inmediatamente y que se enteren las señoras de la estación y los tíos que hay ahí fuera de que Palmira Imperio echa de su compañía a las putas! ¡Abrid esa puerta ahora mismo! ¡Abrid!

LA CHICA.— ¡Sí, abrid esa puerta, que quiero irme de aquí! ¡Yo misma la abriré! ¡Dejad, yo misma la abriré. *(Abriendo.)* ¡Yo soy Encarna López López! ¡Anoche estuve con un hombre que dijo llamarse don Jorge y que sabía del asesinato de mi padre! Mi padre llevó una corona y una bandera a la tumba de un guerrillero que mataron. En una taberna se hizo mi amigo, contándome cosas hermosas de mi padre. Me explicó su muerte. ¿Nadie ha querido saber cómo ha muerto el padre de una, acorralado como una fiera por un camino? Bebí con él todo lo que quiso mientras me lo contaba y me iba enamorando al mismo tiempo de aquel hombre que decía aquellas palabras... Lloré con él y me maldije por ir de corista en una compañía. ¡Si mi padre no hubiera muerto! Don Jorge me dijo que mi padre fue un valiente, y aun a sabiendas de que pudiera engañarme y que lo que deseaba de mí era mi cuerpo, se lo di. ¡Porque me dijo que mi padre fue un valiente yo me enamoré de aquel hombre!...

LA PALMIRA.— ¡Fuera de aquí! ¡Tú serás carne de cárcel! Te habrán denunciado, y si no lo hacen, te denuncio yo misma. ¡Ruina de mi compañía! ¿Qué te parecen los elementos que llevamos? ¡Fuera ahora mismo! ¡Estraperlista de tabaco, que vienes haciendo negocio en mi compañía!

LA CHICA.— ¡No hago ningún negocio! No le cobré ni un céntimo, no sé si por amor o por compasión. ¡Cuántos delitos y cuántas mentiras tendría a sus espaldas aquel hombre que lloraba sobre mi pecho como un niño! ¡Todavía no comprendo bien sus lágrimas, y esto me enamora!...

LA PALMIRA.— ¡Romántica ilusa, sal de mi compañía!

LA CHICA.— ¡Sí, salgo, y ya veré dónde voy!

LA PALMIRA.— ¡Si por mi fuera, al cuartelillo, y después, a la cárcel!

LA CHICA.— ¡Adonde sea, que nada me importa! ¡Apartaros de aquí todas! ¡Mi maleta! (Sale la CHICA.)

LA PALMIRA.— ¡A seguir bailando! ¡Qué peso me he quitado de encima! ¡Y a la que no le convenga, veinte más hay esperando detrás de la puerta! A montones se encuentran muchachas por todas partes. Música, don Felipe. Que sigan bailando. (El portón se cierra y siguen bailando.) ¡Y quítese usted la colilla de los labios y toque despierto!

Don Felipe.—Llevamos dos noches sin dormir.

La Palmira.—Anoche salió el número del charlestón para que las mataran. Claro, bebéis hasta tomar los trenes, ¡cómo no queréis estar cansadas!

Don Paco.—¿Qué será ahora de la Chica?

La Palmira.—Si no está denunciada, que tome el tren y se vaya a su pueblo. ¡Que se gaste el dinero de don Jorge! ¡Vaya limonada!

Don Paco.—Lo que has hecho no está bien.

La Palmira.—¿Que no está bien? Tú, como no sirves más que para fumar puros... ¡Entra al camerino y calla ya!

*(Entra el* Taquillero.*)*

El Taquillero.—Don Edelmiro, ¡no puedo más! Balbina Rondeño ha llegado a la taquilla y ha devuelto ciento ocho entradas. ¡Suponen de golpe tres mil quinientas pesetas! ¿Me escucha usted, don Edelmiro? ¡No dan la conferencia!

Don Edelmiro.—*(Desde dentro.)* ¡No quiero saber nada!

La Palmira.—Diga usted, ¿qué es eso de la devolución?

El Taquillero.—Que se lo explique el que hay ahí dentro.

La Palmira.— ¡Salga usted de ahí ahora mismo! Nos han traído aquí engañadas. ¿Por qué no se nos da alojamiento en ningún hotel? ¡Harta de llamar por teléfono desde la estación y en ningún hotel había habitaciones! ¿Por qué se nos trae directamente al teatro? ¿Eh, diga? ¿Quién se cree que somos? ¡Tenemos un contrato firmado! ¿Qué conferencia ni qué demonio tiene que poner este hombre?

El Taquillero.— ¡Han devuelto ciento ocho! ¡Quieren que cerremos la taquilla!

La Palmira.—¿Estáis oyendo? ¡Dejad de bailar! ¿Qué pastel es éste?

Don Edelmiro.—*(Saliendo hecho una furia.)* ¡Ya te dije que dejaras bien abierta la taquilla!

El Taquillero.—¡Y abierta la tengo!

Don Edelmiro.—¡La función se dará aquí esta noche! ¡Y ustedes recojan los equipajes, que les van a dar ahora mismo las mejores habitaciones!

La Palmira.—¡Eso es lo que debiera usted haber hecho desde un principio! Queremos lavarnos y tener las mejores habitaciones. ¿No querrá usted que Palmira Imperio se aloje en una posada? ¡Digo! Ahora mismo rompo el contrato y pago mis derechos y le doy gusto a todas las arpías que me han abordado en la estación.

El Taquillero.—¡Sería lo mejor! Han dicho en la taquilla que le van a comunicar a don Edelmiro en un oficio que han prohibido el espectáculo. ¡Han ido a hablar con el arcipreste!

La Palmira.—Pero ¿qué gabinas [15] son éstas? ¿Con quién hay que hablar aquí? ¡Paco, Paco! ¿No te mueves? ¡Para qué quiere una a este tío! ¿Con quién tengo yo que hablar? Ahora mismo cojo un taxi y me pongo en camino. Hablo con el gobernador, con el arcipreste, con quien sea.

Todas.—¡Al arcipreste primero!

La Palmira.—¿Qué se han creído? ¡Un espectáculo que se ha representado por veinticinco pueblos de España!

Don Felipe.—Nunca nos ha ocurrido nada hasta llegar aquí.

La Palmira.—¡Haga usted algo!

---

[15] *gabinas:* empleado muy popularmente con significado de tonterías.

86

Don Edelmiro.— ¡He dicho que se da la función!

La Palmira.—Pero no me quedo tranquila. Ahora mismo voy. ¿De qué comemos en tres días? ¿De qué? ¿De qué?

Don Edelmiro.— ¡Acabo de poner una conferencia con Madrid! ¡Cálmese!

La Palmira.— ¡Sí, esas conferencias que no llegan nunca! ¡No me importa Madrid! ¿Qué hace mi compañía ahora? ¡Porque esto es la ruina! ¡Porque yo sostengo el tinglado con miles de duros! ¡Que nadie sabe lo que puede pasarnos!

La Asunción.—Lo malo es que ahora nadie sabrá nada de nada.

La Magdalena.—Nadie será culpable de la prohibición.

La Palmira.—Pero yo indagaré. Paco, ¡no te tumbes en ese baúl y deja de fumarte el puro!

La del Limonar.—Hay que indagar.

La Magdalena.—Yo también indagaré.

La Asunción.— ¡Y yo prometo que los culpables han de llorar conmigo!

Rosita.— ¡Indaguen! ¡Indaguen! ¡Yo les ayudaré a indagar!

La Magdalena.—Esta misma noche he de hacerles llorar a los culpables.

La Asunción.— ¡Y aquí, Encarna López con nosotras!

La Filomena.— ¡Ya estará en el cuartelillo!

La Magdalena.— ¡Al cuartelillo, don Jorge!

La Palmira.— ¡Callaros!

LA MAGDALENA.—¿A santo de qué? ¡Si no trabajamos aquí se disuelve la compañía!

LA ASUNCIÓN.— ¡Yo no regreso andando a mi tierra!

LA DEL LIMONAR.— ¡Ni yo!

LA FILOMENA.— ¡Ni yo!

LA MAGDALENA.— ¡Nos llevamos el corazón de los culpables!

LA PALMIRA.— ¡Callad!

LA ASUNCIÓN.— ¡No queremos!

LA MAGDALENA.— ¡Digo que sí dormimos bajo techado!

ROSITA.— ¡Al pintor Juan Maldonado le apedrearon por pintar el cartel de la puerta!

BARRENDERA 1.ª—Las señoras del pueblo dijeron que vosotras sois las salvajes.

ROSITA.—Porque en otros pueblos habíais dado escándalos.

LA ASUNCIÓN.—¿Estás oyendo, Magdalena? ¡Las salvajes!

LA MAGDALENA.— ¡Pues salvajes seremos!

DON FELIPE.— ¡Callaros, hay que enterarse claro de las cosas!

LA MAGDALENA.— ¡Pues, por si acaso, nosotras vamos a salir!

LA PALMIRA.— ¡De aquí no sale nadie hasta que yo vuelva!

LA MAGDALENA.— ¡Que te crees tú eso!

LA DEL LIMONAR.— ¡Carlitos! ¡Por allí va Carlitos!

LA ASUNCIÓN.— ¡Carlitos!

La Palmira.— ¡Ya te dije que no contrataras a estas mujeres! ¡Quitaros de estas ventanas, que os estáis jugando el destino!

La Asunción.— ¡Vaya, en Madrid nos contrata la Celia cuando queramos!

La Palmira.— ¡Quitaros de ahí ahora mismo! ¡Y dejadme salir!

(*El* Arcipreste *abre el portón de par en par y sube al escenario en silencio. Nadie se ve por la calle.*)

La Magdalena.—Asunción, ponte el vestido, que hay un cura en la puerta. (*Griterío de todas.*)

El Arcipreste.—Edelmiro Clemente, he venido a hablar contigo.

Don Edelmiro.—Palmira Imperio, dueña de la compañía.

El Arcipreste.—Señora... Edelmiro Clemente, he querido evitar complicaciones, por eso vengo a hablar contigo.

Don Edelmiro.—Usted dirá.

El Arcipreste.—Te he telefoneado varias veces. Te he enviado varios recados. Me has hecho venir. Has agotado mi paciencia y aquí estoy.

Don Edelmiro.—Bien. Usted dirá. Pero creo que no podrá darme una explicación sensata.

El Arcipreste.— ¡Muy sensata! Tú bien sabías de los escándalos de estas mujeres por todos los pueblos donde van, y sabiendo con certeza a lo que te exponías, las has contratado y anunciado bochornosamente con esa insinuante y obscena propaganda por pueblos cercanos, cuya propaganda has lanzado también en nuestro pueblo. Se te ha reclamado varias veces. Se te ha venido a llamar la atención y has seguido insistiendo. Todo el mundo sabe por qué ha sido expulsada de la compañía la mujer que acaba de expulsarse. ¿Qué quieres, Edelmiro, que llegue la noche y la calle se llene de hombres para esperarlas? ¿Que sea la gente de nuestro pueblo otra víctima más de estas mujeres?

LA DIVINA.— ¡Eso es cuenta de cada una!

LA MAGDALENA.— ¡Es algo que nadie puede meterse en ello!

LA PALMIRA.— ¡Callad vosotras! Padre, por el proceder de una no se puede culpar a las otras. Una no es maestra de escuela para controlar los actos de las demás.

EL ARCIPRESTE.—No le he preguntado, señora. Velo por el alma de mis feligreses y estoy dispuesto a defenderla.

LA MAGDALENA.—No estará usted seguro de ellos.

EL ARCIPRESTE.—Muy seguro.

LA MAGDALENA.—Entonces no lo comprendemos.

LA PALMIRA.—No quisiéramos decirle que su misión en este teatro nos parece disparatada.

LA MAGDALENA.— ¡Absurda!

LA ASUNCIÓN.—¿Quién se cree que somos?

LA DEL LIMONAR.—¿Qué pruebas concretas tiene para hablar así?

LA MAGDALENA.— ¡Esto le puede costar caro! No se puede hacer caso de lo que digan.

LA ASUNCIÓN.— ¡Que se pruebe lo que dice! ¡Que se pruebe!

LA MAGDALENA.— ¡Yo soy capaz de denunciarlas!

DON EDELMIRO.— ¡Es un terreno que no tiene por qué tocar! ¡Este teatro es mío y la libertad humana es propia de los seres humanos y no pueden limitarla con prejuicios ni amenazas!

El Arcipreste.—No se amenaza a nadie ni se priva a nadie de su libertad. Velo por mis derechos y no quiero ser responsable de pecados mayores.

Rosita.—Pero ¿qué sabe usted de los pecados de sus feligreses?

El Arcipreste.—¡No hables tú, Rosita, que llevas sin entrar a la iglesia más de un año!

Rosita.—¡He visto entrar a muchos ladrones y canallas, y yo no voy donde van los que ni siquiera saben arrepentirse!

El Arcipreste.—No tienes concepto del perdón porque eres hereje, pero alguna vez vendrás a tomar la comunión de entre mis manos y perdonaré tus pecados.

Rosita.—(A gritos.) ¡Al salir la procesión de Santiago, al irse todo el mundo, un feligrés de su parroquia me dio un beso detrás de la puerta de la iglesia!

El Arcipreste.—¡Estás endemoniada, Rosita!

Rosita.—¡Los muchachos se van a Málaga y a Córdoba en busca de mujeres!

El Arcipreste.—¡Que Dios te perdone, Rosita!

Rosita.—¡Todo se pudre! ¡Vas predicando la moral cuando hay más ansia de verse a escondidas! ¡Los mozos se buscan en los pajares, y aquí, en los telares, hemos venido muchas veces a besarnos!

(Rosita corrió a los telares.)

El Arcipreste.—Rosita, ¡has necesitado subirte a los telares para decir todo eso porque no te atreves a decírmelo frente a frente!

Rosita.—¡Me han besado en la puerta de tu iglesia! ¡Y se han revolcado conmigo por el suelo!

El Arcipreste.—¡Mirad sus ojos! ¡Mirad sus labios! ¡Mirad, mirad!

TERESITA.— ¡Se ha vuelto loca!

LA ASUNCIÓN.— ¡La guardarropía se ha vuelto loca!

LA DIVINA.— ¡Dios mío!

DON EDELMIRO.— ¡Corred por ella!

DON FELIPE.— ¡Subamos, que puede tirarse!

LA PALMIRA.— ¡Que se tira!

EL ARCIPRESTE.—Rosita, ¡baja aquí!

ROSITA.—*(Gritando y corriendo por los telares.)* ¡Me han besado! ¡Me han besado!

LA DIVINA.— ¡Socorro, que se tira!

TODOS.— ¡Cogedla! ¡Cogedla! ¡Cogedla!

*(Todos gritan mientras intentan subir a los telares. Ro-*
*SITA ríe, corre y grita diciendo que la han besado.)*

TELÓN

## SEGUNDA PARTE

### El mismo escenario.

La Magdalena.— ¡Que salgas del lavabo!

Voz de dentro, de la del Limonar.— ¡Que esperéis!

La Carmela.— ¡Que estamos toda la tarde en cola!

Voz de dentro.—Una gota de agua sale. ¿Creéis que puedo lavarme con esto?

La Filomena.— ¡Que salgas ya!

La Magdalena.—¿Qué te parece? (*Golpea la puerta del camerino.*)

Voz de dentro.— ¡Ya podéis echar la puerta abajo! ¡Una hora estuve esperando a la Asunción!

La Magdalena.— ¡Negra! ¿No te lavas?

La Filomena.— ¡Dejad a la negra la última!

La Magdalena.— ¡Asunción!

Voz de dentro.— ¡Que no soy la Asunción, gabinas! ¡Que la Asunción se fue a las cuatro de la tarde!

La Filomena.— ¡Se fue con don Edelmiro! ¡Qué tío más tranquilo! ¡Qué cara tiene!

La Carmela.—¿Qué te parece el tío?

La Magdalena.—*(Golpeando.)* ¡Sal ya de ahí!

La Carmela.— ¡Ay, los discos de Manolo Escobar [16] los tengo en el sentido!

La Magdalena.—Aquí mismo me arreglo, debajo de esta luz, porque quiero irme pronto.

La Divina.—Dos veces ha pasado don Jorge, el de Pozoverde, en un coche de caballos...

La Magdalena.—Avísame si pasa otra vez. Pero ¿aquí los tíos no van a los toros?

La Filomena.—Negra, ¡ven y ponte en cola!

La Magdalena.—Pero ¿qué hace la negra ahí, sin ponerse en cola?

La Divina.—Mira por la ventana.

La Filomena.—Negra, ¡ponte en cola!

*(Golpes en el portón.)*

La Magdalena.—¿Quién está ahí otra vez?

Voz.—Soy yo, la Rosita...

La Magdalena.—No le abráis la puerta.

La Filomena.— ¡Empuja!

*(Entra Rosita.)*

La Magdalena.— ¡Mirad la loca de los telares! ¡Qué vestido y qué clavel trae!

La Filomena.— ¡Venid, mirad cómo viene!

La Magdalena.—¿Y el pelo?

Rosita.—Porque voy de baile.

La Magdalena.—¿Habéis oído? ¡Que va la loca de baile!

---

[16] *Manolo Escobar:* tonadillero flamenco muy popular que llenaba y llena no sólo los teatros, sino las plazas de toros.

La Filomena.—¿Sí? ¡Vaya!

Voz de dentro.— ¡Llévanos contigo, loca!

Rosita.—No estoy loca. ¡Qué va! (Guiña.) ¿Queréis venir conmigo a un baile? Pues arreglaros, que yo espero. Así la noche os será más agradable. Dicen que vais a dormir en las tablas. ¡Vamos al baile del llano! Es un baile que hacen en la venta de la carretera.

La Magdalena.—¿Y va tu novio, el cirilo [17] ese que pinta?

Rosita.—Yo no tengo novio. Me voy con vosotras en la compañía. Don Paco, el marido de la Palmira, me vio bailando el charlestón y me ha contratado. (Guiña.)

La Magdalena.— ¡Quiá [18], hija!

Rosita.— ¡Me ha contratado! Hoy me despido de Puente San Gil. Me estoy despidiendo de todo el mundo.

La Magdalena.—¿Qué te parece la loca?

Rosita.—Sí, loca. Ya veréis cómo se mueve ésta. (Guiña.)

La Divina.— ¡Otra vez pasa don Jorge! ¡Venid!

Rosita.— ¡Eh, don Jorge!

La Magdalena.—Anda, la loca le conoce.

Rosita.— ¡Don Jorge!

La Filomena.—¿Le conoces, loca?

Rosita.—Cuando hay toros, siempre viene. ¡Qué guapo es!

La Magdalena.—¿Por qué te gusta?

Rosita.—Porque siempre viene buscando. Dicen que

---

[17] *cirilo:* vale como «tonto», «bobo». Tomado de la copla popular «Ven, Cirilo, ven».

[18] *Quiá:* qué va (de ninguna manera).

se va a morir pronto y busca... Y sus ojos tienen un misterio...

LA MAGDALENA.—Mira la loca...

ROSITA.— ¡Mirad a don Jorge, solitario, en su coche de caballos!...

TERESITA.— ¡Dejad de mirar por esa ventana! ¡Dejad de mirar!

LA MAGDALENA.— ¡Déjanos!

TERESITA.— ¡Dejad de mirar! ¡La Chica estará detenida en el cuartelillo!

LA MAGDALENA.— ¡Que esté!

ROSITA.— ¡Que esté! Yo también estaría, sin importarme nada, después de haber estado besando a don Jorge! En el cuartelillo pasaría la noche soñando con él.

TERESITA.— ¡La Chica estará sufriendo en el cuartelillo!

LA CARMELA.— ¡Y nosotras aquí, oyendo los discos de Manolo Escobar! ¡Malditos columpios! ¡Pueblos! ¡Columpios! [19] ¡Coplas! ¡Señoritos!

LA MAGDALENA.— ¡Vete de aquí, viejarranca!

LA CARMELA.— ¡Yo salgo a las tablas y todavía todo el mundo mira a mis piernas más que a las tuyas! ¡Mis piernas son las más bonitas de la compañía!

LA MAGDALENA.—¿No oís a la viejarranca?

LA FILOMENA.— ¡Digo, sus piernas! ¡Se cree que es la Matimón! [20] ¡Déjanos en paz! ¡Ja!

LA CARMELA.— ¡Ja, digo yo! ¡Os endemoniáis cuando os digo la verdad!

---

[19] *Columpios:* nombre genérico y popular que designa los diversos recreos de feria como tiovivos, norias, látigos, etc.

[20] *la Matimón:* vedette del Paralelo barcelonés de los años 50 a 60.

LA FILOMENA.— ¡La verdad! ¿Qué te parece?

LA CARMELA.— ¡El Folies Bergères me tiene las puertas abiertas! ¡Sólo dos mujeres han triunfado en París: Raquel Meller [21] y yo, que he trabajado en el Folies Bergères y en el Casino de París!

LA MAGDALENA.— ¡Arrópate!

LA DEL LIMONAR.— ¡Acuéstate!

LA DIVINA.— ¡Callad! ¡Teneros que soportar, madre mía!

LA MAGDALENA.—¿Quién te crees que eres, Divina?

LA DIVINA.— ¡Eso: divina!

LA MAGDALENA.—¿No oís? ¡Es para morirse de risa!

LA DIVINA.— ¡Al menos, una tiene vergüenza!

LA MAGDALENA.— ¡Búscate un marío que te mantenga!

LA DIVINA.— ¡Yo tengo un marido que me quiere, que trabaja en una oficina, y pronto tendremos un hijo más y viviremos juntos! ¡Vosotras no tenéis a nadie que os quiera!

LA MAGDALENA.—¿Dónde estará tu hijito? ¡Si tuvieras marío vivirías con él! ¡Capaz eres de meterte un cojín en la panza para hacérnoslo creer!

LA CARMELA.— ¡Madre mía, la música de Manolo Escobar me enloquece!

(*Sale la del* LIMONAR. *Ríen. La* CARMELA *pasa al cuarto del lavabo. Entran la* PALMIRA *y* DON PACO.)

LA PALMIRA.— ¡Hay que ver qué risas! La gente en el callejón oyendo lo que decías. ¡Qué calor! Traigo el

---

[21] *Raquel Meller:* famosa tonadillera que triunfó, entre otras, con la conocida canción «El Relicario».

vestido pegado. ¡Qué vergüenza! Vaya. Que no salgo de aquí hasta que mañana cojamos el tren.

DON PACO.—Bueno, ¿por qué has salido?

LA PALMIRA.— ¡Que me dejes! ¡Qué vergüenza! ¡Vaya, que me siento humillada a mis años, que no bajo más por ese callejón!

LA MAGDALENA.—¿Y a quién te quejas?

LA PALMIRA.—¿Que a quién me quejo vas a decirme encima?

LA MAGDALENA.—Porque tú tienes la culpa.

LA PALMIRA.—¿Yo?

LA MAGDALENA.— ¡Tú! ¿No ibas a poner conferencia con el gobernador? Pero ¿todavía no has puesto la conferencia? *(Gritando.)* ¿Qué hacemos aquí, hechas unas cabronas?

LA DEL LIMONAR.— ¡Calla, Magdalena!

LA MAGDALENA.— ¡Que no me da la gana! Si fuera yo, no al gobernador, al ministro de Información. Ahora, yo termino el contrato en septiembre y se acabó. ¡Mira por dónde salta! Toda la tarde esperando la conferencia y mira por dónde salta. Como a la hora de la verdad te acobardas, no sabes lo que decirnos. Gracias que yo acabo el contrato.

LA PALMIRA.— ¡Y bien acabado! ¡Que cada vez bailas peor!

DON PACO.— ¡Palmira!

LA PALMIRA.— ¡Bailas peor!

LA MAGDALENA.—¿Sabes lo que he pensado? Que me voy yo también a la feria. Yo, como no soy «vedette», nadie me conoce y no tengo por qué sufrir humillaciones.

LA PALMIRA.—Podéis hacer lo que os dé la gana.

LA MAGDALENA.—¡Claro, como que se salieron con la suya!

LA PALMIRA.—¿Y qué puedo hacer? El empresario no da la cara.

LA MAGDALENA.—¿Qué valor es el tuyo? ¡Si no has intentado nada! ¡Si has oído las palabras del cura y no has intentado nada!

LA PALMIRA.— ¡No da la cara! Y no le encuentro por ninguna parte. ¡Que se ha tenido que llevar a la Asunción a Málaga!

LA DEL LIMONAR.—¿Es que porque quieran un cura y unas señoras que no tienen nada que hacer una función se suspende? ¡Mía debiera ser la compañía!

LA MAGDALENA.—Bueno. Se acabó. Me voy a la calle con la Asunción. ¡Y vosotras, todas, a la calle! ¿Quién siente ahora lo que nos pasa? ¡Nadie! ¡A la calle! ¡Y antes a la iglesia! ¡A la visita! ¡A sentarnos en un banco y a rezar! ¡A que nos vean! ¡Que estamos toda la tarde para salir y esperando buenas nuevas!

LA DEL LIMONAR.— ¡Y a casa del arcipreste, a que nos dé algo de comer!

LA FILOMENA.—O a casa de esas señoras tan piadosas.

LA DIVINA.—Yo no salgo.

LA DEL LIMONAR.—Magdalena, vamos, que esto me parece una cárcel. Se está yendo la tarde y el tío miserable del empresario nos dejó con esta luz de cueva. ¡Ya me lo encontraré a última hora!

LA MAGDALENA.— ¡Vamos!

LA FILOMENA.— ¡Sacaremos primero la escopeta, antes de abrir esa puerta!

DON FELIPE.—Yo voy con vosotras. Nadie se os meterá...

La Magdalena.—¿Qué te parece ahora don Felipe? ¡A sus años!

La del Limonar.— ¡A vivir y a no acordarse de la Chica!

Rosita.—Las voy a llevar al baile... *(Tira un beso con las manos.)*

La Palmira.— ¡No tengáis contacto con nadie!

La Magdalena.—¿Por qué? ¡A aprovecharnos hasta de las entrañas del peor!

*(Salen.)*

La Palmira.— ¡Que me da miedo dejarlas! ¡Vamos, Paco!

*(Salen. En escena, Teresita, la Divina, la Cucuna y la Carmela, que sale en seguida del lavabo.)*

La Divina.—Creo que debemos cerrar bien la puerta.

Teresita.—Sí.

La Carmela.—Cerciorarse si está bien cerrada.

*(Se cercioran.)*

Teresita.— ¡Qué poca luz!

La Carmela.—¿Qué piensas hacer?

La Divina.—Revisar mi maleta. Poner la ropa en orden.

La Carmela.—¿De dónde eres tú?

La Divina.—De Alicante.

La Carmela.—¿Qué haces siempre sentada en ese cajón?

La Divina.—*(Muy dulce y tímida.)* Nada.

La Carmela.—¿Qué podríamos hacer mientras tanto?

Teresita.—Yo iba a rezar.

La Carmela.—Pero ¿tienes fe?

Teresita.—Sí.

La Carmela.—¿Puedes rezar con esa música que suena?

Teresita.—No importa. Puedo aislarme muy bien.

La Carmela.— ¡Quién tuviera un poco de tu fe! ...

Teresita.—Si la deseas, ya vas teniendo...

La Carmela.—Sí. La deseo. La deseo casi al final.

Teresita.—Carmela, por Dios. Tú no estás al final de nada.

La Carmela.—Muchas veces pienso que llevan razón las que se han ido: pronto no me querrán contratar.

Teresita.—¿Por qué, Carmela, por qué?

La Carmela.—Tengo más años que vosotras. En mí no se fija el público.

Teresita.—No digas eso, Carmela.

La Carmela.—Sí. Es la verdad.

Teresita.—Ahora estás más delgada y mucho mejor.

La Carmela.—Pero no sé qué hacer bien. Tengo la carne muy floja. No tengo dinero para ir a un instituto de belleza.

Teresita.—¿De dónde eres?

La Carmela.—De un pueblo...

Teresita.—No me engañes. Otra vez has contado cosas de una ciudad que tú quieres mucho.

La Carmela.—Una ciudad...

Teresita.—Carmela, siempre tienes lágrimas a punto de brotar.

La Carmela.—Pero no brotan.

Teresita.—Puedo... hacer algo... por ti. Créeme, Carmela, cuando trabajé por vez primera con vosotras temía ponerme a tu lado, porque tú eres la de más... personalidad. Además, tu ritmo tiene una categoría especial.

La Carmela.—Yo bailé en París...

Teresita.— ¡París, Carmela! ¡Cuántas cosas hermosas ha querido Dios que tú veas!

La Carmela.—¿Tú no has salido de España?

Teresita.—No.

La Carmela.—¿Por qué te ocurre a ti como a la Divina, que siempre que ves a los niños quieres acariciarlos?

Teresita.—Porque yo hubiera querido seguir siendo maestra de escuela de mi pueblecillo.

La Carmela.—¿Por qué estás aquí?

Teresita.—No sé decir bien. No tuve orientaciones claras... Me hacía falta trabajar y...

La Carmela.—¿Por qué rezas tanto?

Teresita.—Porque yo... hubiera querido ser...; no sé...

La Carmela.—¿Te avergüenzas?

Teresita.—No...; pero yo creo mucho en Dios.

La Carmela.—Me preguntas y, en cambio, cuando yo te pregunto a ti no quieres decirme quién eres. ¿Qué te preocupa a ti? ¿Por qué rezas tanto? ¿Por qué piensas en las golondrinas?...

Teresita.—Porque estoy muy sola. Completamente sola. Pertenecí a la Acción Católica de mi pueblo y amo a la Virgen.

LA CARMELA.— ¡Qué extraño!

TERESITA.—Le pido a la Virgen... No sé...

LA CARMELA.—¿No te quiere nadie?

TERESITA.—Tal vez alguien me quiera...

LA CARMELA.—A lo mejor tienes suerte.

TERESITA.—A lo mejor. Voy a seguir rezando.

LA CARMELA.—¿Quién es ese hombre del retrato que tanto miras y que siempre sacas de tu maleta y duerme contigo?

LA DIVINA.—Mi marido.

LA CARMELA.—Pero ¿estás casada de verdad?

LA DIVINA.—Sí. Este hombre del retrato es mi marido.

LA CARMELA.—Qué guapo es. ¿Qué edad tiene?

LA DIVINA.—Veintiocho.

LA CARMELA.—Madre mía, ¿y cómo estás separada de él?.

LA DIVINA.—No estoy separada. Es que no podemos vivir juntos. No gana lo suficiente. Trabaja en una oficina. En una calle de Alicante. Tenemos dos hijos pequeñitos que están con mi madre. Con lo que ganamos los dos podemos sacar la casa adelante. Nos vemos pocas veces al año. Pero pronto le subirán el sueldo y podremos vivir juntos y traer los hijos a casa. Están haciendo casas nuevas y los de la empresa nos han prometido que un piso será nuestro. El piso que ya lo he visto, tiene dos balcones que dan a una calle muy animada. A lo lejos se ve el paseo de Las Palmeras y el mar. Compraremos una radio. ¡Cómo sueño tener una mecedora junto al balcón, poner la radio y escuchar algún programa bonito mientras duermo a mis hijos!

LA CARMELA.—Eso lo tienen miles de seres.

La Divina.—Sin embargo, yo no lo he conseguido aún. Ni mi marido ni yo debemos tener iniciativas. Ya sabéis que soy la más torpe en aprender los bailes. Es que no sirvo para nada. Quizá sólo para vivir en mi pisillo, con mis hijos...

La Carmela.—No le cuentes eso a nadie. No te creerán.

La Divina.—Bueno.

La Carmela.—Ni yo te creo.

La Divina.—Gracias. Por eso miro su retrato y le hablo a solas.

Teresita.—La Cucuna llora...

La Carmela.—¡Vaya, la música de esos columpios nos ha entristecido!

Teresita.—Cucuna, no llores...

La Carmela.—No comprendo a Cucuna. Ha bailado en La Habana, salió huyendo de Fidel Castro, la llevó la Matimón al Molino Rojo de Barcelona. Ha vivido en la calle Sur, una bocacalle del Conde de Asalto, y es tímida y asustadiza como una rata. ¡Por Dios, Cucuna, no sonrías porque te digamos rata!

Teresita.—Sonríe a todo. Dejadla que sonría. Agradece todo.

Cucuna.—(Con mucha humildad.) En La Habana había margaritas grandes que yo me ponía de collares...

La Carmela.—¿Veis? Es como tonta. ¡Pobre Cucuna! ¡Collares de margaritas! ¿Habéis oído?

Cucuna.—Mi padre tenía un barco pesquero, y yo, cuando mi padre regresaba, llevaba puesto mi collar de margaritas... En España, en el jardín de Pozoverde, robé una margarita..., después otra, y otra... Me hice con ellas este collar....

La Divina.—Qué poca luz. Estoy sintiendo miedo. Qué miedo me da pasar la noche aquí. Estaré toda la noche despierta.

La Carmela.—Callad.

*(Silencio.)*

La Divina.—Me has asustado.

La Carmela.— ¡Callad!

Teresita.— ¡Dios!

La Divina.—¿Qué ocurre?

La Carmela.—He visto a alguien cruzar... Las maromas... se mueven.

Teresita.— ¡Madre mía! Alguien quiere coger las maromas...

La Carmela.— ¡Callad!

La Divina.— ¡Qué poca luz, Dios mío! ¿Dónde estarán los interruptores?

La Carmela.— ¡Calla!

La Divina.—Estás temblando. Yo no veo nada. Tienes un miedo sin fundamento.

La Carmela.— ¡Mirad, otra vez por allí!

La Divina.—No hay nada. Yo no veo nada.

La Carmela.—Os digo que he visto a alguien cruzar y no es nadie del teatro, porque se esconde, porque huye o se acerca. ¡Mirad otra vez!

Teresita.— ¡Carmela!

La Carmela.— ¡Pequeña mía! No tengas miedo.

La Divina.—No os mováis. Esperar un momento. Con disimulo coged esos palos. Despacio. No hagáis ruido. ¿Los habéis cogido?

TERESITA.—Cucuna, Cucuna, no tiembles.

LA CARMELA.—Calla. *(Mascullante.)* He cogido un palo con clavos.

LA DIVINA.—Si pudiéramos encontrar los interruptores...

LA CARMELA.—¿Habéis cogido todas los palos?

TERESITA.—Yo no encuentro ninguno.

LA CARMELA.—No temas, pequeña. Yo te defenderé.

TERESITA.—Son varios. Cada vez veo moverse más.

LA CARMELA.—Id acercándoos al portón. Yo descorreré el cerrojo, pero no gritéis. Despacio.

TERESITA.—No tengo fuerzas.

LA CARMELA.—Apóyate en mí.

TERESITA.—No tengo fuerzas. Padre... nuestro...

LA CARMELA.—¡No reces... ahora...!

TERESITA.—Pa...dre... ¡Ay!

LA CARMELA.—No... llores... Tened cuidado al bajar las escaleras. Id bajando de espalda. Pero no hagáis ruido. El menor ruido.

LA DIVINA.—¿Has llegado al cerrojo?

LA CARMELA.—Sí. Pero no puedo abrir.

LA DIVINA.—¡Abre, por Dios!

LA CARMELA.—No puedo abrir. Algo me ha herido la mano.

LA DIVINA.—¡Abre, por Dios!...

LA CARMELA.—¡No puedo abrir!

TERESITA.—¡Otra vez las sombras!

*(De una pedrada, alguien de la calle rompió la única bombilla encendida del teatro.)*

La Divina.—*(Gritando.)* ¡Ay!

La Carmela.— ¡Calla!

La Divina.—*(Enloqueciendo.)* ¡Ay!

Cucuna.—*(Frenética de terror.)* ¡Ay!

La Carmela.— ¡Ven acá!

Cucuna.— ¡Por allí! ¡Son ellos! ¡Bajan por las ma romas!

Teresita.— ¡Son ellos! ¡Socorro!

*(Corren enloquecidas.)*

La Carmela.—*(Gritando.)* ¡Cucuna, ven aquí!

Cucuna.— ¡Socorro! ¡Socorro!

La Carmela.—Cucuna, ¡el foso de la orquesta!

Cucuna.—*(En un espantoso grito.)* ¡Ay!

Teresita.—*(Gritando.)* ¡Cucuna cayó!

La Carmela.— ¡Cucuna!

La Divina.— ¡Cucuna!

Teresita.— ¡Ha caído al foso! *(Gritando.)* Cucuna, cariño nuestro, ¡bajamos por ti!

*(Cucuna gime, entre las sombras del foso orquestal, con espantoso dolor.)*

Teresita.— ¡Mirad, no puede andar; quiere levantarse y no puede! ¡Se ha roto las piernas! ¡Se ha dado en la nuca! Cucuna, cariño, ¡bajamos por ti!

La Divina.—*(Gritando en el espanto de las demás.)* ¡Por allí! ¡Vienen por nosotras! ¡Socorro! ¡Socorro! ¡Socorro!

Teresita.— ¡Mi vestido!

*(Unos hombres saltaron desde los telares al escenario mientras Cucuna y las demás se agitan y gritan como locas. Los hombres se revuelcan con ellas por los pasillos de los telares y por las tablas del escenario.)*

(Oscuro.)

*(Una calle. Noche. Suena una guitarra, lejana, por soleares.)*
*(Salen, borrachas, la Asunción, la Magdalena y la del Limonar.)*

La Magdalena.—Asunción, ¡don Luis se ha ido!

La Asunción.— ¡Que se vaya!

La Magdalena.— ¡Ponte bien los pelos!

La del Limonar.—Hace viento. ¡Déjalos!

La Magdalena.— ¡Bruja! Pareces una bruja.

La del Limonar.— ¡Bueno! ¡Así no llegamos a la taberna del Ratón!

La Asunción.— ¡Ay, que no amanezca!

La Magdalena.—*(Llamando.)* ¡Don Lorenzo!

La Asunción.—¿Qué te parece el tío? ¡Miserables!

La Magdalena.— ¡Quítate la tierra del pelo!

La del Limonar.— ¡Déjala!

La Magdalena.—Mira qué poyete. ¿Quién era don Luis?

La del Limonar.—Dice que es riquísimo. Propietario.

La Magdalena.— ¡Digo, propietario! ¿No te creerás eso, no? ¡Qué nariz tiene el tío!

108

LA ASUNCIÓN.—La metió en el vaso y parecía una alcuza.

LA DEL LIMONAR.— ¡Eh! ¿Dónde están los de Puente San Gil?

LA ASUNCIÓN.— ¡Eh!

LA MAGDALENA.— ¡Eh!

LA DEL LIMONAR.— ¡La calle, desierta!

LA MAGDALENA.—¿Qué calle es ésta?

LA ASUNCIÓN.—¿Habrá algún hotel?

LA DEL LIMONAR.—Sí, hotel a estas horas. ¡Coge la maleta y a la estación, que pronto amanece!

LA ASUNCIÓN.— ¡Y los zapatos, fuera! Ahora ando descalza y bailo. Mira, bailo. ¡Mambo! ¡Mambo!

LA MAGDALENA.— ¡Coge los zapatos, que valen veinticinco duros!

LA DEL LIMONAR.— ¡Deja los zapatos tirados!

LA ASUNCIÓN.— ¡Pellejo del Limonar!

LA DEL LIMONAR.— ¡Del Palo, que te equivocas! Soy Rosario la malagueña.

LA MAGDALENA.—Anda, mira quién llega.

LA ASUNCIÓN.—La loca otra vez.

LA MAGDALENA.— ¡Ven acá, loca!

LA ASUNCIÓN.— ¡Tiene una tunda [22] que no ve!

(Entró ROSITA, borracha.)

ROSITA.— ¡Hola!

LA MAGDALENA.—Pero ¿qué se ha puesto la loca?

---

[22] *tunda:* borrachera.

Rosita.—Un mantón de Manila que me ha tocado en la tómbola del obispo.

La Magdalena.—¿Qué te parece?

La Asunción.—¡Trae tu mantón!

Rosita.—¡Dejadlo!

La Asunción.—¡Estás para un zapatazo!

Rosita.—(Cantando.) «Mantón de Manila.» ¡Que me dejéis! Yo canto y bailo mejor que vosotras.

La Asunción.—¡Fuera, loca! ¡Trae tu mantón, que verás cómo te bailo por zapateaos!

Rosita.—Aquí no se baila por zapateaos. Ésta es la casa del arcipreste y nos echa un caldero de agua.

La Asunción.—¡La casa del arcipreste! Magdalena, ¿oyes?

La Magdalena.—(Lloriqueando.) ¡Don Lorenzo!

Rosita.—¿Qué don Lorenzo?

La Asunción.—¡Yo qué sé! Un tío que hemos encontrado en el baile.

La Magdalena.—(Lloriqueando.) Pero ¡me lo he bailado toda la noche y me ha emborrachado!

La Asunción.—¡Levántate del suelo, gamberra!

La Magdalena.—¡Déjame, que el suelo está fresquito y hoy sale fuego hasta por el río!

Rosita.—¡Suda como un pollo!

La Magdalena.—¡Fuera, loca!

La Asunción.—¡Levántate! ¡Digo, la perra que tiene!

La Magdalena.—¡El hotel!

LA DEL LIMONAR.—¡No hay hotel ni cama, sino las tablas del escenario!

LA MAGDALENA.—¡Yo no duermo en las tablas! ¡Dormiré en la ribera del río, al fresquito!

LA ASUNCIÓN.—¡Levántate ya, y tú trae ese mantón!

ROSITA.—¡Quia, hija! Con este mantón voy a ganar dinero.

LA ASUNCIÓN.—¡Que traigas el mantón!

ROSITA.—¡Que dejes mi mantón!

LA ASUNCIÓN.—¡Bah! ¡Es un mantón de guardarropía!

(*La* FILOMENA *entra, borracha, riendo.*)

LA FILOMENA.—¡Don Jorge! ¡Que no voy, vaya! ¡Que no voy!

LA MAGDALENA.—Eso es una bruja. Está de lío.

LA FILOMENA.—¡Aquí me subo al pretil y te digo que no voy!

LA MAGDALENA.—¡Abróchate el escote!

LA FILOMENA.—Don Jorge quiere cogerme y llevarme con él a Málaga en el coche de caballos. Don Jorge es una funeraria. Dicen que tiene una angina de pecho. ¡No voy! ¡Eso es! ¡Tomad tías bravas como yo! ¡Esa es mi venganza! ¡Me verás y no me catarás!

LA MAGDALENA.—¡Que te calles, bruja!

LA DEL LIMONAR.—¡Se fueron las luces de las farolas! ¿Dónde estáis?

LA MAGDALENA.—¡Aquí, en esta oscuridad!

LA FILOMENA.—¿Quién es ésta?

LA MAGDALENA.—¡La loca de los tíos de los telares!

ROSITA.—Pero tú no tienes un mantón.

La del Limonar.—Loca, ¡calla ya! Vete a otra calle.

Rosita.—Yo cojo el tren con vosotras. Me contrató el marido de la Palmira. *(De pronto.)* ¡Ay!

La del Limonar.— ¡Loca!

La Asunción.— ¡Otra vez le dio el ataque!

La Magdalena.— ¡Huye! ¡Ha visto al pintor y huye! ¡El pintor la ha arrastrado del pelo en medio del baile!

La Asunción.—Loca, ¡no huyas, no viene nadie!

La Magdalena.— ¡Ven acá!

Rosita.—*(Cogida a una esquina, con mucho miedo.)* Ésta es la casa de don Celestino.

La Asunción.—¿Qué te parece?

La Magdalena.—*(Desafiante.)* ¡Sí, ésta es la casa de don Celestino! ¡Ésta es su puerta! Éstas son sus ventanas!

La del Limonar.— ¡Mirad aquélla, mirad a la Filomena, se ha puesto a besarse con uno! ¡Se escapó y se fue allí a besarse con uno!

La Asunción.—Como en Madrid.

Rosita.—*(Embobada.)* Se va besando con uno...

La del Limonar.—Vaya. La luz de la ventana.

Rosita.— ¡La luz!

La del Limonar.— ¿Dónde vas, loca?

Rosita.—Es la ventana del arcipreste. Se está levantando.

La del Limonar.— ¡Ven acá! ¿Por qué temes?

Rosita.—No temo.

La del Limonar.—Pues sigue dando voces. ¡Que se despierte!

La Magdalena.—*(Levantándose desafiante.)* ¡El culpable!

La Asunción.— ¡Vamos a cantar a voces!

*(Cantando.)*

> Dale que dale que dale,
> toma que toma que toma,
> tengo una novia que vale
> más que la fuente de Roma.

La Magdalena.—*(Frenética.)* ¡A llamar en su puerta! ¡Eh, arcipreste! ¡Eh! ¡Toma!

La Asunción.—¿Qué has hecho, Magdalena?

La Magdalena.— ¡Romper un cristal de su ventana!

La del Limonar.— ¡Hale! ¡Qué gozo! ¡Mira, arcipreste, cómo bailo descalza ante tu puerta! Mira. ¡Mambo! ¡Mambo! ¡Mambo!

*(Dan risotadas.)*

La Asunción.— ¡Que se cae! ¡Anda, la del Limonar bailando!

La Magdalena.— ¡Y yo!

La Asunción.— ¡Baila, baila, Magdalena!

La Magdalena.— ¡Mambo! ¡Mambo! ¡Mambo!

La Asunción.— ¡Qué bofetadas se pega bailando!

La Magdalena.— ¡Eh, arcipreste, ya que no hemos bailado esta noche, bailamos para ti! ¡Gracias por nuestra hambre!

La del Limonar.— ¡Tres días sin paga!

LA MAGDALENA.— ¡Colgando las muelas! [23]

LA DEL LIMONAR.— ¡Te recordaremos siempre!

*(Llegan, espantadas, la* DIVINA *y* TERESITA.)

TERESITA.— ¡Aquí están!

LA DIVINA.— ¡Madre mía!

TERESITA.— ¡Corred, corred; la Cucuna se muere!

LA MAGDALENA.—¿Qué dice ésta?

TERESITA.— ¡La Cucuna se muere! ¡Se le han partido las piernas y agoniza!

LA DIVINA.—¿Cuál es la casa del arcipreste?

LA MAGDALENA.—Dicen... que es... ésta...

LA DIVINA.—¿Querrá venir?

TERESITA.—No lo dudes. *(Llamando.)* Padre, ¡por favor, la Cucuna se muere!

LA ASUNCIÓN.—Pero... ¿qué... dice... ésta... de la Cucuna?

TERESITA.— ¡Se ha partido las piernas! ¡Se muere!

LA MAGDALENA.—*(Loca, grita.)* Pero ¿por qué?

TERESITA.—*(Gritando.)* ¡Se ha partido las piernas! Padre, ¡ábranos pronto la puerta!

LA MAGDALENA.—*(En el mismo estado.)* Pero ¿por qué?

TERESITA.—*(Gritando.)* ¡La Cucuna se muere!

LA MAGDALENA.—*(Aún más fuerte.)* Pero ¿por qué?

TERESITA.— ¡Unos hombres entraron al teatro! ¡Mirad mis vestidos!

---

[23] *¡Colgando las muelas!:* expresión popular digna del Quevedo de *El Buscón:* de no tener nada que comer se cuelgan las muelas como se cuelga un vestido que no se usa.

LA ASUNCIÓN.— ¡Tiene arañazos en la cara!

LA DIVINA.— ¡Los hemos dejado medio muertos! ¡Mirad mis manos! ¡Sangre mía y de ellos!

TERESITA.—*(Temblando.)* ¡Y las mías con sangre de las piernas de Cucuna! *(Gritando.)* Padre, ¡la Cucuna se muere!

LA MAGDALENA.— ¡Éstas son tus predicaciones! ¡Éste es tu pueblo, padre!

LA ASUNCIÓN.— ¡Callad!

LA MAGDALENA.— ¡Que no baje ese hombre!

LA ASUNCIÓN.— ¡Vete de aquí, Magdalena!

LA MAGDALENA.— ¡Que no baje ese hombre!

LA ASUNCIÓN.— ¡Coged conmigo a Magdalena! ¡Le está dando alferecía!

LA MAGDALENA.— ¡Soltadme! ¡Soltadme!

*(El* ARCIPRESTE *abre la puerta de su casa.)*

ARCIPRESTE.— ¡Soltadla!

TERESITA.—*(Abrazándose al* ARCIPRESTE.) Padre, ¡la negra se muere! ¡Se le han roto las piernas y se muere!

LA MAGDALENA.— ¡Dejadme! ¡Dejadme!

LA ASUNCIÓN.— ¡Magdalena! ¡Cogedla, cogedla conmigo!

ROSITA.— ¡Mirad el tío que estaba con la Filomena, corriendo!

LA MAGDALENA.—*(Rabiando como una fiera.)* ¿Quién es usted para quitarnos nuestro pan y causarle la muerte a la negra? ¿Qué cuidado tiene de sus hombres? ¡Salvajes, sí! ¡Salvajes los suyos! ¡He bebido por su culpa! ¡No se asombre de verme así! ¡Por su culpa! ¡Y me caigo borracha por su culpa!

La Asunción.— ¡Quieta, Magdalena, quieta! ¡Cogedla, que me ha arañado dos veces! ¡Que pueden detenernos!

El Arcipreste.—*(Muy sereno.)* Magdalena...

La Magdalena.— ¡Sí, usted! ¡Usted! ¡Usted!

Teresita.—*(Desesperadamente abrazada al* Arcipreste.*)* ¡Está borracha, padre, perdónela!

La Magdalena.— ¡Usted! ¡Usted!

La Asunción.— ¡Se me soltó! ¡Cogedla!

*(La* Magdalena *se abalanza al cuello del* Arcipreste.*)*

Todas.— ¡Magdalena!

La Divina.— ¡Dios mío, que le ahoga!

La del Limonar.—¿Y por qué no? ¡Y yo también!

Teresita.— ¡Dios! ¡Piedad!

Todas, menos la Magdalena.— ¡Socorro!

La del Limonar.—*(Mientras lucha con el* Arcipreste.*)* ¡Que nadie grite!

Teresita.— ¡Asesinas!

La Divina.— ¡Que le matan!

La Filomena.— ¡Madre mía!

Rosita.— ¡Huid!

La del Limonar.— ¡Que nadie huya!

Teresita.— ¡Padre! *(Gritando.)* ¡Es un santo! ¡Se deja matar! ¡Es un santo! ¡Yo os mato a vosotras!

*(*Teresita *se abalanza y lucha con la* Magdalena *y la del* Limonar.*)*

116

La Magdalena.— ¡Todas culpables! ¡Todas culpables!

*(En terrible lucha, siguen oyéndose voces y gritos pidiendo socorro.)*

(Oscuro.)

*(El escenario del teatro. En escena, la* Palmira, Don Paco, *la* Filomena, Don Felipe, Rosita, *la* Divina, Teresita *y la* Carmela.)

La Carmela.— ¡Ya está cerrada la última ventana!

La Filomena.— ¡Tira el martillo! Este clavo no está firme.

La Carmela.— ¡Ahí va!

La Filomena.—Así, así.

La Carmela.— ¡No des esos martillazos!

La Filomena.—*(Como loca.)* ¡Así! ¡Así!

La Carmela.—¿Te has vuelto loca dando martillazos?

La Filomena.— ¡Así! ¡Así!

La Carmela.— ¡Te vas a machacar los dedos!

La Filomena.— ¡Que se machaquen! ¡Se han creído que somos unas máscaras! ¿Digo, qué te parece? Hasta han escupido. No tienen otra diversión más que asomarse.

La Palmira.— ¡Encended bien las luces! ¡Que son las tres de la tarde y sudo a mares!

Don Paco.—Deja de beber, Palmira.

Don Felipe.—Sí, encended bien las luces, aunque nos asfixiemos de calor.

La Palmira.—Pero ¿así vamos a estar toda la tarde? Ni una señal de nadie y las puertas cerradas.

LA FILOMENA.— ¡Otra vez la loca llorando!

LA PALMIRA.—Dime ya, loca: ¿dónde las han metido? ¡Tú fuiste con ellas! ¿Dónde están?

ROSITA.—(*Llorando.*) No volveré a ver más el gato de mi casa.

DON FELIPE.—Pero ¿qué dice?

DON PACO.— ¡Que no le hagas más preguntas! Está desvariando desde que vino.

LA PALMIRA.— ¡Pues que la lleven al manicomio!

TERESITA.— ¡Pobre Rosita! Tiene la cara pálida como una muerta.

LA PALMIRA.— ¡No la acaricies! Ésta se empeñó en llevarlas al baile y allí se hartaron a beber. No me fío de la loca. ¡No la acaricies!

TERESITA.—Me imponen sus labios... Me parece que soy yo misma.

LA PALMIRA.—(*Gritándole.*) ¡Di, loca, lo que sea!

ROSITA.—Cuando mi gato moría se arrastraba por el suelo.

LA PALMIRA.— ¡Quiá, ésta no está loca! Se hace la loca porque no quiere decirnos nada. ¡Que te pego un galletón! ... [24]

LA DIVINA.— ¡Quieta, Palmira!

LA PALMIRA.—¿Tú también? Pero ¿quiénes son para no habernos dejado ni coger el tren? ¡Ellas son las culpables, pues que las metan en la cárcel, que las maten, que las pudran, pero que nos dejen a nosotros en paz!

LA DIVINA.—No te da pena decir eso.

LA PALMIRA.—A mí, no. Yo no tengo la culpa de nada. ¡Quiero irme de aquí! ¿Qué delito tengo yo?

---

[24] *galletón:* bofetada.

La Divina.—El arcipreste quizá esté muriendo, como murió la negra.

La Palmira.—¡Que no digas eso más, que me disloco!

La Divina.—La negra ha muerto sin nadie a su lado.

La Palmira.—Pero habla, loca. Tú que llegaste huyendo, tú que estabas allí, ¿qué pasó? ¡Éstas no saben nada porque huyeron, pero tú fuiste con ellas! ¿Dónde las llevaron? ¿Por qué nos cierran las puertas y nadie nos da noticias? ¡Habla, loca! ¡Habla! ¡Habla, que te pisoteo!

La Carmela.—¡Quieta, Palmira! ¡Mira sus espaldas! ¡Mira, Palmira, bien! La sangre le salta de los golpes. Ha sufrido un ataque y han debido echarla después de muchos golpes. Déjala, Palmira, déjala.

Rosita.—*(Levantándose y cogiendo una maleta.)* ¿En qué pueblo trabajamos ahora? Tengo mi equipaje preparado.

La Divina.—¡Qué horror ver a esta mujer así!

La Palmira.—¿Habéis subido a los telares? Tiene que haber algún sitio por donde salir y hay que ir a hablar con quien sea.

La Filomena.—Pero ¿todavía no te das cuenta que sospechan de todas? ¿Todavía no piensas que las que están detenidas no habrán hablado?

La Palmira.—¿Qué tienen que hablar?

La Filomena.—Muchas cosas: el arcipreste dicen que agoniza. La Magdalena y la del Limonar tuvieron la culpa. Es como un asesinato. No importa si estaban borrachas o no; lo que importa es que han linchado a un hombre y parece que va a morir. Eso dijeron los últimos hombres que se asomaron por la ventana.

Rosita.—*(Llorando de rodillas y abrazada a la maleta.)* ¡Don Celestino, le adoro!

La Palmira.— ¡Ya se tiró otra vez al suelo a llorar!

La Divina.— ¡No puedo verla! Parece que... abren... una puerta...

La Palmira.—¿Dónde vas?

La Divina.—Por allí...

La Carmela.—Sí. Alguien viene.

La Palmira.—Pero... ¡qué pasos! ¡Es una con tacones torcidos!

La Divina.—¿Quién puede... andar así por el pasillo de los proscenios?

La Carmela.—No hay luz en el pasillo. Cerraron otra vez la puerta. Pero alguien viene. Sí. Es... la Asunción...

(*Entra la* Asunción.)

La Divina.—Asunción...

Teresita.— ¡Dios mío!

La Asunción.—A...gu...a...

La Carmela.—Asunción, ¿qué tienes? ¿De dónde vienes? ¿Qué te han hecho?

La Divina.—Traed el agua.

Teresita.—Voy.

La Carmela.—Toma, bebe. Bebe.

La Asunción.— ¡Qué sed tenía!...

La Carmela.—Dinos, Asunción: ¿de dónde vienes?

La Asunción.—Del cuartelillo... La Mag... da... lena se... ha confesado... La del... Limo... nar..., también, y... me... han dejado a mí libre... El arcipreste no ha muerto y nos ha perdonado. Dice que estamos faltas de caridad; que todos estamos necesitados de caridad.

La Carmela.—¿Quién te trajo?

LA ASUNCIÓN.—La... Policía... Los hombres... así... detrás. ¡Todavía detrás!...

LA PALMIRA.—¿Por qué nos encierran?

LA ASUNCIÓN.—Porque tienen que tomaros... declaración. El... problema... se... complica.

LA PALMIRA.—¿Por qué?

LA ASUNCIÓN.—Porque creen que... todas nos hemos aconchabado [25] para lo del... arcipreste. Es... como... si todas... nos hubiéramos tomado... una... venganza...

LA CARMELA.—(*Reaccionando, valiente y violenta.*) Oye, Asunción. Dime una cosa: ¿con quién ibas anoche?

LA ASUNCIÓN.—Yo... iba... con un hombre...

LA CARMELA.—¿Quién era?

LA ASUNCIÓN.—Yo... no quiero... hablar de nadie. Lo que yo hago, se... queda en mí. No tengo costumbre de delatar a nadie.

LA CARMELA.—Dime, por Dios, ¿quién era?

LA ASUNCIÓN.—Dé...jame...

LA CARMELA.—Dime, por Dios, ¿quién era?

LA ASUNCIÓN.—No..., no...

LA CARMELA.—¿Era casado?

(*Silencio.*)

LA CARMELA.—¿Era casado? ¿Era casado? ¿Era casado?

LA ASUNCIÓN.—Sí.

LA CARMELA.—¿Y quién era? ¿Quién? ¿Quién? ¿Quién?

LA ASUNCIÓN.—No..., no..., no...

---

[25] *aconchabado:* puesto de acuerdo.

La Carmela.—¿Quién?

La Asunción.—Dijo que... capitán... de Infantería.

La Carmela.—*(Delirante.)* ¿Lo habéis oído? ¿Lo habéis oído? ¿Y los demás? ¿Y los demás?

La Asunción.— ¡No lo sé! ¡No lo sé! ¡No lo sé!

La Carmela.— ¡Lo sabes! ¡Lo vas a decir ahora mismo!

La Asunción.— ¡No lo sé!

La Carmela.— ¡Lo sabes! ¡Dilo! ¡Dilo! ¡Dilo!

La Asunción.— ¡La Magdalena, con don Lorenzo!

La Carmela.—¿Borracho también?

La Asunción.—*(Gritando.)* ¡Sí!

La Carmela.—*(Gritando.)* ¿Lo habéis oído? La del Limonar, ¿con quién?

La Asunción.— ¡No sé! ¡No sé! Me dijeron que no lo dijera. ¡No sé! ¡Pueden estar escuchándonos!

La Carmela.— ¡Dilo ahora mismo!

La Asunción.— ¡El marido de Magdalena Jiménez, el más rico de este pueblo!

La Carmela.—¿Y quién más?

La Asunción.— ¡Señoritos todos! ¡Y don Jorge!

La Carmela.—*(En su delirio.)* ¿Habéis oído? ¡Abrid las ventanas! ¡Vamos a abrir las ventanas! ¡A gritos lo vamos a decir! ¡Abrid! ¡Golpea! ¡Golpea! ¡Eh, gente de Puente San Gil! ¡La Magdalena y la del Limonar irán a la cárcel para toda la vida, pero con ellas estaba lo mejor de este pueblo; don Lorenzo, don Jorge, el marido de Constantina Cruz, estaban con ellas! ¡Ellos son los que esperaban a estas salvajes, no vosotros, pobres bestias sin dinero! ¡Oíd bien! ¡Van a la cárcel dos mujeres que fueron emborrachadas por vuestros ricos y vuestros cristianos! ¡Y quizá mueran! ¡Y quizá mueran!

*(Todo esto se lo ha dicho al público)* [26].

La Divina.— ¡Cerrad la ventana!

La Palmira.— ¡Quitadla de ahí! ¡Quitadla!

La Asunción.—Señoritos todos, y don Jorge, amigo del obispo.

La Carmela.—*(Enloqueciendo.)* ¡Dejadme, que se entere todo el mundo! ¡Una de las nuestras ha muerto por vuestra culpa y está ahora mismo en el hospital sin que nadie llore a su lado! Y vosotros, imbéciles, ¿dónde está vuestra sangre, dónde vuestras rebeliones? ¡Animales! ¡Maricones! ¡Eso sois! ¡Así vivís! *(Ha seguido diciéndoselo al público.)*

La Palmira.— ¡Quitadla de ahí! ¡Quitadla! ¡Quitadla!

*(Logran cerrar la ventana y llevarse a la* Carmela. Don Paco *la abofetea. De una forma violenta abre la Policía el portón. Las* Barrenderas *se asoman a espiar a la baranda de los telares.)*

El Comisario.— ¡Claro, claro, tenían que ser ellas! *(Gritando.)* ¡Cuidado, no pisen el tranco de la calle!

La Carmela.— ¡Fuera de aquí! ¡Dejadme!

El Comisario.— ¡Quitad de una vez a esa mujer de la ventana!

La Carmela.— ¡Estos son!

La Palmira.— ¡No huyas, Asunción!

El Comisario.— ¡Hemos tenido que venir, claro!

---

[26] *Todo esto se lo ha dicho al público:* esta acotación no figuraba en la edición Taurus, como tampoco la siguiente: *Ha seguido diciéndoselo al público.* Al suprimirlas perdían estos parlamentos la enorme fuerza de provocación directa de que son portadores.

LA CARMELA.—*(Gritándole.)* ¡Sí, aquí estamos!

LA PALMIRA.—*(Como una fiera.)* ¡Ya era hora de que se diera una explicación!

EL COMISARIO.— ¡Fuera esta mujer de aquí!

LA PALMIRA.— ¡Yo soy la dueña de la compañía!

EL COMISARIO.— ¡A la de la ventana, amarradla bien!

LA CARMELA.— ¡A mí no me asustan! ¿Dónde están las nuestras?

EL COMISARIO.— ¡La máquina! ¡Esta silla! ¿Quién sacaba a éstas a la comisaría?

LA ASUNCIÓN.—*(Gritando.)* ¿Encerraréis a ellos también?

EL COMISARIO.— ¡Encerrad a esta mujer!

LA ASUNCIÓN.— ¡Seguiré dando voces! ¡No me asustáis!

EL COMISARIO.— ¡Que dé! ¡Encerradla!

LA PALMIRA.— ¡Yo soy Palmira Imperio! ¡Una explicación!

EL COMISARIO.— ¡Huele usted a coñac, señora!

LA PALMIRA.—¿Y a usted qué le importa?

DON PACO.— ¡Palmira!

LA PALMIRA.— ¡Deja mi brazo y dame que beba! ¡Dame, dame!

DON PACO.— ¡Palmira! ...

EL COMISARIO.— ¡A esa fiera, la primera! ¡Su «carnet» de identidad!

LA PALMIRA.—*(Tirándoselo.)* ¡Tome!

DON PACO.— ¡Palmira!

La Palmira.— ¡Que lo tome!

El Comisario.— ¡Explicación! ¡No se merecen explicaciones!

La Carmela.—(*Gritando desde el camerino.*) ¡Don Lorenzo! ¡Don Jorge! ¡El marido de Constantina Cruz!

La Palmira.— ¡Grita, grita, grita!

Un Policía.— ¡Ya está escrito lo de la dueña! ¡Otra!

La Divina.— ¡Tome el mío!

La Palmira.—Pero vamos a ver, ¿se puede saber lo que pasa?

El Comisario.— ¡Que se calle usted!

La Filomena.—Felipe, ¡toca!

Don Felipe.—Hija mía... Mi «carnet», señor.

La Filomena.— ¡Para qué me casaría con este viejo! Mira, toco. (*Toca el piano y canta.*)

El Comisario.— ¡Cerradle la boca a ésa!

(*La Filomena grita, cantando.*)

Don Felipe.— ¡Calla, Filomena...!

La Filomena.— ¡No hay quien me calle! ¡Muerdo!

La Palmira.—(*Con burla.*) ¿Hasta cuándo van a durar las anotaciones?

El Comisario.— ¡Déjenos en paz!

Don Paco.—Ustedes la excusarán...

La Palmira.—¿De qué tienen que excusarme? Pero ¿por qué no se me deja hablar con un abogado? El arcipreste no ha muerto y ha perdonado a la Magdalena y a la del Limonar. Dice que estamos faltas de caridad y nos perdona. Oiga usted: sepa usted que soy la dueña de la compañía. ¡Ya se lo he dicho antes! ¡No se me respeta!

LA FILOMENA.—*(Con burla.)* ¿Hasta cuándo va a durar el interrogatorio? ¿Para qué tanto aparato? Digo yo también.

LA PALMIRA.—¡Llévenos donde sea, y en paz! Pero ¡quiero salir!

EL COMISARIO.—¡Haga el favor de callar!

DON PACO.—¡Palmira!

LA PALMIRA.—¡Tira la colilla y que arda el teatro!

EL COMISARIO.—¿Tiene algo que decir?

DON PACO.—Nada. Me casé con Palmira hace diez años.

LA PALMIRA.—¡Diez años sin hacer nada! ¡Mudo como un muerto! Todavía no sé quién es ni cómo es.

DON PACO.—¡Palmira!

LA PALMIRA.—¿Para qué te he querido siempre a mi lado?

DON PACO.—Para velar por ti. Para defenderte. Para consolarte. Para ir contigo donde tú vayas. Para no separame de ti y vivir, como tú, si en la cárcel, en la cárcel.

LA PALMIRA.—¿A la cárcel? ¡Eso se verá! ¿Qué hago con mis trajes, con mis trastos? ¡Los trastos de toda mi vida! ¡En la estación todavía! Pueden haberlos robado.

DON PACO.—Calla.

LA PALMIRA.—¿Por qué he de callar?

DON PACO.—Has bebido.

LA PALMIRA.—Y bebo. ¿Qué otra cosa puedo hacer sino beber? ¡Madre mía, soy yo la que pierdo! De mi pérdida no le importa a nadie! ¡Mis trastos! ¡Mis trajes! ¡Mis ahorros! ¡Mis esfuerzos! ¡Mis glorias! ¡Mis ilusiones!

El Comisario.— ¡Déjenos trabajar!

La Palmira.—Pero ¿de qué se nos acusa? La Magdalena y la otra confesaron. ¿De qué se nos acusa?

El Comisario.— ¡De venganza!

La Palmira.— ¡A la porra la venganza! No sé lo que es eso. No tengo tiempo sino para trabajar y vivir. ¡No tengo tiempo para pensar! Dame coñac, dame.

El Comisario.— ¡Está abusando de nuestra paciencia! ¡Hay que anotar los «carnets» de los demás!

Don Paco.— ¡Deja de beber!

La Palmira.— ¡Suelta! ¿Supongo que no se me negará que tome un trago?

El Comisario.— ¡Llevarse a esa mujer!

La Palmira.— ¡Soltadme!

El Comisario.— ¡Encerradla!

La Palmira.— ¡Soltadme!

El Comisario.— ¡No se comporta! ¡No la aguanto más!

La Palmira.—(A gritos.) ¡Yo soy una gran dama! Paco, ¡defiéndeme!

Don Paco.—Palmira...

La Palmira.— ¡Defiéndeme, cariño mío!

Don Paco.—Ustedes la perdonarán. La compañía es su vida. Ha bebido mucho antes de que ustedes vinieran.

La Palmira.— ¡Soltadme! (Gritando dentro de un camerino.) ¡Dejadme salir! ¡Tengo que defender a las demás! ¡Dejadme salir! ¡No os dejaré hablar! ¡Cantaré! ¡Gritaré!

(Canta y grita.)

El Comisario.—Que grite. ¡Ya se cansará! A ver, otra. El «carnet». ¡La del cuarto! ¡No! ¡La del primero!

La Carmela.—*(Saliendo.)* Aquí está... Carmela Pérez Maldonado.

El Comisario.—¿Edad? Está borroso.

La Carmela.—Cuarenta y cuatro años.

La Filomena.—¿Qué te parece la edad que tiene?

El Comisario.— ¡Silencio!

La Filomena.—Le ha dado vergüenza a la viejarranca. *(Canta y toca el piano.)*

El Comisario.—Soltera. ¿Qué hacía antes de trabajar en la compañía?

La Carmela.—Siempre trabajé en el teatro.

El Comisario.—Gracias. Otra.

Teresita.—Teresa Ruiz de Lafuente.. Aquí está mi «carnet».

El Comisario.—Veinticuatro años. Almagro. Maestra de escuela. ¿Maestra de escuela?

Teresita.—No..., no... ganaba lo suficiente. Mantengo a mi padre, inválido, y...

El Comisario.— ¡Bah! ¡Maestra! Una maestra puede vivir sin recurrir al teatro.

Teresita.—Tal vez. Pero yo no me conformaba con la miseria ni con la tristeza de un pueblo...

El Comisario.— ¡Déjese de sermones! Todo va en contra de su reputación.

Teresita.— ¡No me resigno a morir como mueren miles!

El Comisario.— ¡Váyase!

El Policía.—Otra. Usted, la que queda. Su «carnet» de identidad.

La Filomena.—El suyo.

*(Silencio.)*

El Policía.—¿Está usted delirando?

La Asunción.—*(Histérica.)* ¡Anda, Filomena!

La Filomena.—*(Salvaje como una fiera.)* ¡Andando estoy!

El Comisario.— ¡Su documentación! ¡Su oficio!

La Filomena.— ¡Mi padre me puso a servir con sus tres medallas de mérito, porque él fue uno de los que ganaron la guerra! ¡Y no me dio la gana de servir!

El Comisario.— ¡No me importa!

La Filomena.—¿Que no le importa?

La Asunción.— ¡Anda, Filomena, cómetele!

La Filomena.— ¡Cuando hable sí que le importará!

El Comisario.—¿Qué tiene que hablar?

La Filomena.— ¡Tú quisiste anoche estar conmigo! ¡Y me dio asco, porque echabas babas sobre mi hombro! ¡Y me llevaste a casa del arcipreste para que le diera el palizón! ¿Por qué, eh? ¿Por qué? ¡Unos a otros no os podéis ver!

El Comisario.— ¡Encerradla!

La Filomena.— ¡Sí, que me encierren! Pero ¡ya saldré! ¿Quién os creéis que sois? ¡Débiles como gatos! ¡Tan débil como yo en estos momentos, que me quitan las fuerzas y la libertad! Pero ¡saldré de aquí, cobarde! ¡Me das asco! ¡Que nadie me toque porque os mato! Tan culpable es el que compra como el que vende. ¿Por qué estas declaraciones si sois tan culpables como nosotras? ¡Más que nosotras! ¿Por qué no hacer un pacto? ¡Vamos a echarle tierra encima al asunto! ¡Vamos a no darle importancia a nuestra venida a Puente San Gil, porque si no se sabrá todo y sentiréis la mayor humillación de vuestra vida!

EL COMISARIO.— ¡Anoten bien! Usted dirá esto ante el tribunal.

LA FILOMENA.— ¡Sí, yo hablaré ante un tribunal! ¡Escribe! ¡Escribe lo que estoy diciendo! ¡Todo se sabrá más tarde! ¡Ya estamos cansadas de negocios sucios! ¡Sucio tú y sucios todos!

TODAS.—(Gritando.) ¡Es la razón! ¡Razón! ¡Esto es la verdad!

EL COMISARIO.— ¡A callar!

TODAS.— ¡No callamos!

EL COMISARIO.— ¡Tendremos que recurrir a las armas!

TODAS.— ¡No tenemos miedo! ¡Hemos perdido todo!

LA PALMIRA.— ¡Todo!

EL COMISARIO.— ¡Coged a esa mujer! ¡Insubordinación con la justicia!

LA FILOMENA.— ¡Dejadnos salir! ¡El arcipreste no ha muerto y nos ha perdonado! ¡Dice que estamos faltas de caridad! ¡Dejadnos que vayamos en busca de la caridad que estamos necesitadas! ¡Dejadnos ir!

EL COMISARIO.— ¡Cogedla!

LA FILOMENA.— ¡Soltadme! ¡Muchachas, ea! ¡Han venido por nosotras! ¡Al subir a ese coche vayamos cantando! ¡Nos llevarán por miedo a la cárcel, pero vayamos cantando hasta que nos maten! ¡Ea, a cantar! ¡A cantar!

(Desafiantes, cantan el «Porrompompón» de Manolo

130

*Escobar. Antes de salir, la* FILOMENA *mira desafiante al* COMISARIO.)

UN POLICÍA.— ¡Vayan subiendo!

EL COMISARIO.— ¡Saquen a las de los cuartos!

LA PALMIRA.—Paco, ¡abrázame!

DON PACO.—Si te llevo abrazada.

LA PALMIRA.—Mi amor, que no serviste para nada nunca...

EL COMISARIO.— ¡Chófer, pronto! ¡Éstas estuvieron anoche con unos y quieren echarle ahora la culpa a la Justicia!

LA ASUNCIÓN.—(*Desde la calle se escapa, entra dentro del teatro y le dice al* COMISARIO.) ¡Llegará tu castigo, porque tú eres igual que yo! ¡Igual que yo! ¡Igual que yo! ¡Muertos! (*Los grises se la llevan arrastrando, mientras ella sigue gritando al público y a los grises* «*muertos*» )[27].

EL COMISARIO.—(*A la* ROSITA.) ¿Dónde vas?

(*La* ROSITA, *contrariada, sube a los telares para verlas salir. Abrazada a su maleta, las ve tras los hierros del portón. Mira con espanto.*)
(*El portón del teatro fue cerrado por las* BARRENDERAS.)

BARRENDERA 1.ª— ¡Otra vez a barrer!

BARRENDERA 2.ª— ¡Tantos papeles sucios!

BARRENDERA 1.ª— ¡Eh tú, baja de ahí!

---

[27] *Los grises...* etc.: Toda esta acotación tampoco figuraba en la edición de Taurus. Además de la provocación implícita en la acción acotada, los insultos a la policía y al público establecen la identificación de la situación histórica —la del público— y la escénica —la vivida por los personajes.

(Rosita *no se da cuenta de que la llaman.*)

Barrendera 1.ª— ¡Que bajes! ¿Quién te crees que eres?

(*Barren.*)

(*Los cantos de la compañía, desafiantes, suenan confundidos con la música de la feria.*)

*Cae el*

T E L Ó N

# Las arrecogías del Beaterio de Santa María Egipciaca

(Fiesta española en dos partes)

*A mis padres que me dieron todo* [a].

---

[a] Esta dedicatoria no figuraba en las ediciones anteriores.

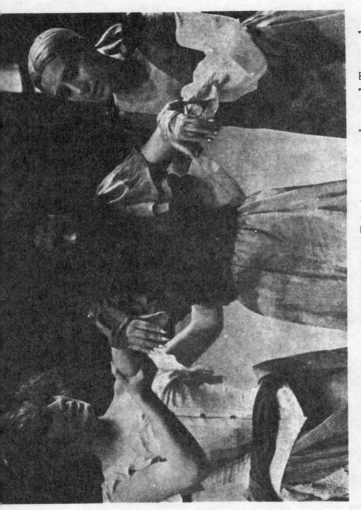

*Las arrecogías del Beaterio de Santa María Egipcíaca*, estrenada en el Teatro de la Comedia de Madrid, en febrero de 1977, bajo la dirección de Adolfo Marsillach.

# LAS ARRECOGÍAS

## (Por orden de intervención)

CARMELA «LA EMPECINADA»
CONCEPCIÓN «LA CARATAUNA»
CHIRRINA «LA DE LA CUESTA»
PAULA «LA MILITARA»
RITA «LA AYUDANTA»
EVA «LA TEJEDORA»

ANICETA «LA MADRID»
D.ª FRANCISCA «LA APOSTÓLICA»
ROSA «LA DEL POLICÍA»
MARIANA DE PINEDA
ROSA «LA GITANICA»

## OTROS PERSONAJES

LOLILLA LA DEL REALEJO, RAMÓN PEDROSA, CASIMIRO BRODETT, EL DEL MUÑÓN, LA MUDA, EL POLICÍA, LA REVERENDA MADRE, SOR ENCARNACIÓN.

*Músicos, policías, soldados, frailes franciscanos, monjas, gente del pueblo, títeres.*

*(Al ir entrando el público al teatro, tendrá la impresión de que entra a una gran fiesta. Músicos charangueros de la Granada de comienzos del siglo XIX, estarán tocando las canciones de la obra, e irán por todas partes del teatro.*
*LOLILLA LA DEL REALEJO y sus costureras, vestidas grotescamente para ir a los toros, alegrarán la entrada del público, cantando a veces; otras, dándoles flores. Con LOLILLA y las costureras podrá haber cuantos personajes de la obra estime la dirección.)*

## CANCIONES DE LA OBRA

Coplas y tanguillos de las manolas de Bibarrambla.
Coplas de las mujeres del rey Fernando.
Salmodia a la entrada en el beaterio.
Canción a las costas de Tarifa.
Coplas de las abanderadas.
Canción a las manos de Rosa «La Gitanica».
Canción a los patíbulos.
Fandango del amor perdido.
Tanguillo del sereno.
Vito a las pisadas de los caballos.
Coplas de Madam Lolilla la del Realejo.
Salmodia a los que martillean sin remedio.
Coplas de las tapadas del Zacatín.
Variantes finales de las coplas.

# PRIMERA PARTE

*Calles y cuestas de la Granada de principios del si-glo XIX, cuando Granada, juntamente con Bayona y Gi-braltar, era uno de los focos revolucionarios que amena-zaban al gobierno del Rey de España*[1].

*Los pasillos de la sala del teatro se unen con las em-pedradas cuestas granadinas. Las casas de principio del siglo romántico, desbordan la embocadura a un lado y otro de la misma. Dentro del escenario vemos, en estos*

---

[1] *Rey de España:* Fernando VII (1784-1833) fue rey de Es-paña de 1814 a 1833. Galdós nos dio de él en *La fontana de oro* (1870), cap. XLI, una extensa semblanza de la que citamos sólo dos párrafos: «Es terrible la infinita abundancia de retratos de aquella cara repulsiva que nos legó su reinado. España está infestada de efigies de Fernando VII, ya en estampa, ya en lien-zo. Esa cara no se parece a la de tirano alguno, como Fernando no se parece a ningún tirano.» Y un poco más adelante: «Fer-nando VII fue el monstruo más execrable que ha abortado el derecho divino. Como hombre, reunía todo lo malo que cabe en nuestra naturaleza; como rey resumió en sí cuanto de flaco y torpe puede caber en la potestad real.» (*O. C.,* Madrid, Aguilar, 1960, t. IV, pág. 173.) Hemos preferido estas citas de Galdós a otras más objetivas, frías y ponderadas de los historiadores actua-les. Como muchos lectores recordarán, también Buero Vallejo —y no por azar— eligió la época y figura de Fernando VII en su conocida obra *El sueño de la razón* (1970), radicalmente coe-tánea de *Las arrecogías.* La misma época y rey volverán a apare-cer en la obra colectiva *El Fernando...,* estrenada en el Festival de Sitges, 1972, por el Teatro Universitario de Murcia, dirigida por César Oliva.

*primeros momentos, las tapias del Beaterio* [2] *de Santa María Egipciaca. Las tapias han aparecido inundadas de letreros insultantes. En estos letreros podemos leer:*

«Al librero madrileño Antonio de Miyar [3] lo han paseado por la Cibeles con un cartel al cuello y escupiéndole.»

«Calomarde [4] asesina la cultura y el progreso.»

---

[2] *Beaterio de Santa María Egipciaca:* convento que en los tiempos en que transcurre la acción del drama de Martín Recuerda servía tanto de prisión como de correccional de mujeres. El catedrático de la Universidad de Granada, don Emilio Orozco Díaz, ha exhumado los documentos que restan del archivo del Beaterio en lo que hoy es convento del Carmelo. Dichos documentos prueban que los personajes e intuiciones dramáticas del autor tienen una base real histórica. Reproducimos el texto del profesor Orozco Díaz que figuraba en el programa de mano repartido al público el día del estreno de la obra en el Teatro de la Comedia, de Madrid.

«He aquí, pues, que la descarnada y desgarrada visión humana que del interior de este convento, prisión y correccional nos ofrece Recuerda, sin más apoyo documental que el que le suministraba la biografía y la versión poética de la tradición y de la obra de Lorca, quedaba en el fondo mucho más cerca de la realidad histórica que la que había ofrecido esa literatura y la misma erudición. Naturalmente que todo se deforma, desmesura y extrema, pero el hecho esencial de que en el Beaterio abundasen las reclusas por razones políticas fue imaginado por el dramaturgo granadino, sin que antes nadie —que sepamos— lo hubiese dicho —ni como realidad ni como suposición—. Ahora bien, lo verdaderamente sorprendente es que Recuerda llegase a intuir o adivinar concretas situaciones de reclusas que estos datos documentales han venido a confirmar.»

[3] *Antonio de Miyar:* librero madrileño acusado injustamente de conspirar contra el rey, y sentenciado, según reza el *Diario de Avisos* de Madrid del 11 de abril de 1831, a «la pena de muerte en horca». (Puede verse el texto en el tomo XXVII, págs. 908-909 de la *Historia de España,* dirigida por Ramón Menéndez Pidal, tomo titulado *La España de Fernando VII,* del que es autor Miguel Artola Gallego.

[4] *Calomarde:* Francisco Tadeo Calomarde (1773-1842), nombrado titular de la cartera de Justicia en enero de 1824 y cuya gestión duraría sin interrupción durante diez años. Se distinguió por sus tristes capacidades para organizar la represión y el terror políticos, llevando su crueldad hacia los liberales a términos extremos.

«Viva el general Riego»⁵.
«La cabeza del hijo puta de Pedrosa»⁶.
«Mueran los realistas»⁷.
«Viva la masonería.»

*En la cancela del beaterio, podemos leer también, en letreros toscos, sobre una carcomida madera oscura:*

«Casa de Dios y de Santa María para asilo de mujeres perdidas.»

*Y otro letrero más abajo que dice:*

«Limpia tu alma al entrar, pecadora, como María Egipciaca en las puertas del templo de Jerusalén.»

*Y otro letrero más abajo, con letras muy populares, que dice:*

«So putas.»

*(Vemos pasearse, a través de la cancela, a centinelas, carceleros, soldados de la vieja Infantería española. Oímos a las monjas de Santa María cantar un «Te deum», cantos que se mezclan con la alegría de una banda de música, que toca en una plaza de toros, no muy lejana. O achicharra el sol, o la ciudad está solitaria, porque la gente o se encuentra en la corrida de toros, o el terror impuesto por la política del tiempo, hace que, en principio, parezcan que están desiertas las calles. Estamos en el año 1831. Vemos pasar un hombre por el medio de la sala del teatro y subir una de las cuestas que dan al escenario. El hombre, como mudo, al parecer empleado del Ayuntamiento, muy cansado y sudando, lleva*

---

⁵ *Riego:* Rafael del Riego y Núñez (1785-1823), general español de ideas liberales que en 1820 se pronunció, en nombre de la Constitución de 1812, contra el régimen absolutista de Fernando VII, introduciendo en la escena política el sistema liberal. Murió en el patíbulo el 9 de noviembre de 1823. El *Himno de Riego* ha quedado como símbolo de canción de guerra libertaria.
⁶ *Pedrosa:* sus títulos van dados en la acotación de la pág. 186.
⁷ *realistas:* partidarios del poder real absoluto.

un cubo con pintura y brocha, carteles enrollados y unas escaleras plegables y de madera. Al llegar se sienta y, parsimoniosamente, lía un cigarrillo, mirando discretamente al público, y a un lado y a otro de las calles. Ya liado el cigarrillo, se lo coloca en la oreja, como el que está vigilando, coge sus utensilios y se pone a pegar un cartel, donde se lee en grandes letras:

«Aviso: Escuela de Toros»

Mientras pega el cartel vemos que, con sigilo, se van abriendo los postigos de los balcones de algunas casas, y observamos que alguien vigila desde dentro. Podemos darnos cuenta de que la ciudad no está tan sola, sino que mucha gente está dentro de sus casas. Termina la faena el empleado y sale. En seguida oímos tocar una guitarra con alegría y un palmoteo redoblado y bien sonado. Salen, por una de aquellas calles, LOLILLA LA DEL REALEJO y las cinco costureras, muchachas de unos dieciocho a veinte años, vestidas de manolas señoronas, disfraz burlesco para ellas, con pelucones de estilo francés, pintarrajeadas y grotescas. Se adelanta LOLILLA a cantar, mientras las otras bailan, jugando, al mismo tiempo, con grandes abanicos alpujarreños, de vivos colores. El vestido de LOLILLA, arrastra, a modo de falda colgandera, o de mandil, un largo trapo rojo que, recogido farfolleramente a la falda verdadera, le arrastra por detrás, como si fuera una cola del vestido.)

LOLILLA. (Cantando y bailando.)
Dicen que toda Granada
está conspirando,
y que los granadinos
se pasan el día,
con aire muy fino,
entre celosías,
acechando, acechando.
Pero nosotras decimos:
si hay corridas de toros
a donde asistimos,

la plaza repleta,
el sol como el oro,
la alegría completa,
¿qué importa tanta conspiración?
¡Ay, granadino, granadinito
no tienes perdón!

*(Se jalean unas a otras y se adelantan después las cinco costureras y cantan, mientras* LOLILLA *salta entre ellas.)*

CINCO COSTURERAS:

Las manolas de Bibarrambla [8]
no saben qué pasa
en España entera,
dividida en dos bandos,
se baila el fandango
y se intenta vivir,
y dicen que la gente,
callando,
callando y callando
quisiera morir.
¿Pero qué pasa aquí?

*(Se jalean unas a otras con más bríos y después sale* LO-LILLA *a cantar, mientras las otras bailan.)*

LOLILLA:

Ay, huertecicas florías
de las orillicas del río Genil,
mandad, airecicos
fresquitos
a los españolitos [9]
de por ahí,
porque todos queremos vivir.

---

[8] *Bibarrambla:* barrio popular granadino.
[9] *españolitos:* hay un claro eco de los versos de Antonio Machado («Españolito que vienes / al mundo te guarde Dios...»). Están en el poemilla 53 de «Proverbios y Cantares», en *Campos de Castilla.*

*(Sigue el jaleamiento y ahora cantan y bailan las seis.)*

LAS SEIS: *(Cantando y bailando.)*

Sigan los pronunciamientos [10]
y los generales en Gibraltar;
sigan los regimientos
tan descontentos,
que nos da igual.
Que no quiero al realista
ni al que es servil [11],
sólo quiero agua del río
y un suspiro para dormir.

*(Toda la sala se enciende y los músicos desde los pasillos de abajo, van subiendo y bajando las cuestas y cantan, al mismo tiempo que tocan.* LOLILLA *y las seis costureras bailan.)*

LOS MÚSICOS:

Las manolas de Bibarrambla
no saben qué pasa
en España entera,
no saben quién es Pedrosa,
¡vaya una cosa!
ni Calomarde, ni el rey Fernando,
y tan tranquilas,
van a los toros,
siguen su baile
mientras el pueblo se está matando.

*(Cantan ahora las cinco costureras, con aire ingenuo, mientras* LOLILLA *baila entre ellas, haciendo pantomimas de ingenuidad.)*

---

[10] *pronunciamiento:* levantamiento militar para derribar el régimen político existente. Miguel Artola, escribe al respecto: «El pronunciamiento —fenómeno y término nuevo— se convertirá en la forma específica de combatir un sistema político.» *(Op. cit.,* página 617).

[11] *servil:* partidario del absolutismo. Los serviles constituyen el polo opuesto de los liberales.

LAS CINCO COSTURERAS:

>Somos como palomas
>que vuelan sin enterarse.
>Lo que pasa en Granada,
>se lo lleva el aire,
>pero nos contenemos,
>porque no queremos
>dejar a nadie
>por embusteros.

*(De pronto, dejan de tocar los músicos y* LOLILLA *y las costureras salmodian, con furia.)*

LOLILLA Y COSTURERAS:

>¡Trágala! ¡Trágala! ¡Trágala! [12]
>Esto se oye decir
>del uno a otro confín
>de la España en que vivimos.
>¡Trágala aquí!
>¡Trágala allí!

*(Vuelve a sonar la guitarra, ahora por tanguillos, y las seis se dulcifican y taconean. Taconeando el tanguillo,* LOLILLA *se quita el trapo rojo que llevaba en la falda y juega con él, a modo de capote, y se lo arroja a las costureras, quienes sin dejar de bailar, extienden, entre todas, el trapo rojo, y le dan la vuelta. En él se puede leer: «No estáis solas, arrecogías», mientras cantan las seis. Los músicos las acompañan.)*

LOLILLA Y COSTURERAS:

>¿Y el capote?
>Éste es.
>¿No lo ven?
>Por si acaso

---

[12] *¡Trágala!:* famosa canción gaditana, utilizada por los liberales como insulto contra los absolutistas, y que empezaba con «Trágala, perro».

un muchacho,
de repente
y valiente,
se tira a la plaza
donde pasa
lo que no se puede figurar.
Y eso es lo que hay que cantar:
porque la gente,
también muy valiente,
cuando grita «olé»,
no es por el torero
que tiene salero
al torear,
sino a algo que pasa,
que no está en la plaza,
pero la gente ve,
y al decir «olé»,
parece que quieren matar.
¿Qué será?

*(Mientras se jalean taconeando los tanguillos, LOLILLA
coge el trapo rojo y lo arroja detrás de las tapias del
Beaterio de Santa María Egipciaca, sin dejar de bailar. La gente, escondida detrás de los balcones, cierra
en seguida los postigos y los músicos y las costureras alzan el baile y la música, con más fuerza. LOLILLA
se vuelve asombrada y canta ahora, mientras las demás bailan.)*

LOLILLA. *(Con cierta burlesca ingenuidad.)*

Se me escapó.
Sí, señor.
Un aire traicionero,
granadino y fiero
se lo llevó.
Y el capote ha quedado,
como se ve,
dentro de las tapias,
para no sé quién.

144

*(Cambia el tono de la música y cantan y bailan ahora las seis.)*

LOLILLA Y COSTURERAS. *(Con ciertos tonos confidenciales.)*

> Sepan ustedes
> que nosotras somos
> Lolilla y sus costureras,
> pero nos disfrazamos,
> muy pintureras,
> de manolas
> o de señoras
> francesas,
> y aquí comienza
> la cuestión
> de esta España
> que vivimos de la «ilustración».
> Helo aquí.

*(Se ponen un dedo en la boca, en señal de silencio, y cantan y bailan bajito.)*

> Nadie puede decir
> que nosotras fuimos
> las que hicieron
> lo que vimos
> y vieron.
> Y todos a reír,
> que nadie trajo un capote aquí,
> sino un polisón
> en la falda de Lolilla,
> y se le escapó.

*(Cambian de son y de baile y el palmoterío se hace más alegre, los músicos cantan ahora.)*

LOS MÚSICOS:

> ¿Quién dijo miedo?
> Salero, salero, salero,

145

buen vino tinto
y buen tabernero.
Penas, ninguna,
que dieron la una,
que dieron las dos.

*(Sale* LOLILLA *a cantar, mientras las otras bailan.)*

LOLILLA:

Y Albaicín arriba,
y Albaicín abajo,
la cabeza alta
y mucho desparpajo,
que lo que ha de pasar,
se verá.
Y por mucho que pase,
con finura y clase
hay que seguir,
para hacer sonreír,
cantando y bailando
al mismo compás.
Quiere usted callar.
No hay triste destino,
españolito
que naces, tan solito
como las aguas del mar.

*(Los músicos y las costureras corean.)*

MÚSICOS Y COSTURERAS:

No hay triste destino,
españolito
que naces, tan solito
como las aguas del mar.

*(Varían el baile y la música y muy armoniosamente,
con gran encanto y serenidad, se van metiendo por
una calle, sin dejar de cantar y bailar.)*

LOLILLA Y COSTURERAS:

> Ay, murallitas de Cádiz,
> Ay, marecitos de plata.
> Los barquitos españoles
> tienen las anclas atadas,
> que no sirven los suspiros
> ni lágrimas derramadas.

*(Se van fundiendo estos cantos con los de las monjas del Beaterio.*
*Se apaga la luz de la sala y queda sólo la luz del escenario a pleno sol. El teatro se invade de los cantos religiosos de una «Salve» que cantan las monjas del Beaterio de Santa María Egipciaca, mientras va subiendo la tapia, para verse ahora, por dentro, el Beaterio, que ocupa, de un modo solemne, toda la mayor parte del escenario. El Beaterio es un antiguo palacio del Renacimiento, con corredores enjaulados arriba, que sirven de celda común a las arrecogidas rebeldes, casi fanáticas, que viven entre la realidad o la locura, entre el terror y la contenida paciencia que dará fin a sus vidas. Cogida a los hierros de los enrejados, vemos a* PAULA «LA MILITARA», *con el vestido casi destrozado y harapiento, con los pechos medio desnudos, con las piernas arañadas, encrespados los cabellos, la cara sudorosa y gesto de cansancio. Mira hacia abajo, hacia el patio. Paseándose nerviosa, está* ROSA «LA DEL POLICÍA», *como endemoniada, harapienta, semidesnuda, con cadenas y argollas entre los huesos de las muñecas. Detrás vemos a* ANICETA «LA MADRID», *sentada en un jergón, peinándose y quitándose piojos, con un jarro de agua al lado y un lebrillo.*
*Abajo, en el patio, vemos corredores y celdas individuales. Todas abiertas, menos una. Una gran cancela a un lado da a los corredores del pórtico de entrada. Un corredor, hacia el centro, que se pierde hacia el foro, simula la entrada a la capilla. Corredores, columnas, celdas, empedramiento del patio, todo dará la impresión de las caballerizas del viejo palacio rena-*

*centista, arruinado ahora, asilo u hospital en otro tiempo.*

*Por el empedrado se pasea orgullosa y lujosamente vestida, D.ª FRANCISCA «LA APOSTÓLICA»* [13], *también arrecogida, perteneciente a la aristocracia granadina, siempre deseando ser amable con las demás. Las demás desconfían y parecen huir de ella. De uno de aquellos corredores, sacan una mesa, larga y de madera carcomida, CARMELA «LA EMPECINADA»* [14] *y CHIRRINA «LA DE LA CUESTA». RITA «LA AYUDANTA», EVA «LA TEJEDORA» y CONCEPCIÓN «LA CARATAUNA», traen vasos y jarras, entrando y saliendo, como las de la mesa. La «Salve», cantada en la capilla por las monjas del Beaterio, se hace enternecedora.)*

CARMELA «LA EMPECINADA».—Ya han terminado la Salve, gracias al trono de la Santísima Trinidad, que dicen que cae aquí en lo alto.

CHIRRINA «LA DE LA CUESTA».—*(A CONCEPCIÓN «LA CARATAUNA».)* Como no te laves las manos, yo no bebo en esos jarros, ni como en esos platos.

CONCEPCIÓN «LA CARATAUNA».—¿Es que no me las lavé antes de coger los platos y los jarros? ¿Qué tienen mis manos? Lavadas con arenilla. ¿Qué culpa tengo yo de que me haya tocado hoy fregar la jaula de arriba?

PAULA «LA MILITARA».—¿Qué pasa con la jaula de arriba?

RITA «LA AYUDANTA».—*(A EVA «LA TEJEDORA».)* Fíjate qué oído de víbora tiene «La Militara».

PAULA «LA MILITARA».—Si os parece, me taparé los oídos. Pues no faltaba más. Que una no oiga ni la tarde de toros.

---

[13] «*La Apostólica*»: los apostólicos, o pertenecientes al partido del mismo nombre, se distinguieron por su defensa a ultranza del régimen autocrático, constituyendo la fracción radical del absolutismo.

[14] «*La Empecinada*»: llamada así por su asociación con el célebre Juan Martín «El Empecinado» (ver nota 21).

EVA «LA TEJEDORA».—Qué alegría da de oír el gentío. Esta alegría no se oía en Cataluña.

ANICETA «LA MADRID».—Yo me ponía mi peina atrás (señala detrás de la cabeza) que me pillaba toda esta parte de la cabeza, y hala, a los toros. Pero en Madrid, hija. La plaza de los Carabancheles [15] me la conozco bien. Y mira en el espejo en que me veo:

> Paso río, paso puente,
> siempre te encuentro lavando,
> qué lástima de carita,
> que se vaya marchitando.

Si me viera mi general ahora...

CARMELA «LA EMPECINADA».—(Muy dispuesta.) Que te calles, alcuza vieja.

ANICETA «LA MADRID».—No me da la gana. ¿Es que cada una no recordáis lo vuestro cuando os da la gana? ¿Es que cada una no contáis lo que os sale de la garganta? Yo sí. Pues no me rogaba veces, mi general Riego, para llevarme a los toros. Vivía yo entonces en la plaza de la Cebada. Llegaba mi general, bajo mis balcones, en un coche de caballos, guapo como un granadino albaicinero, y me hacía una reverencia. Entonces yo bajaba, me montaba en aquel coche e iba a la plaza de los Carabancheles. Se armaba la gorda al vernos asomar al tendido a mi general Riego y a mí. Pero nosotros no entendíamos de desigualdad de clases. Yo vendía flores, él era general. Que rabiaran los que fueran. Después de la corida, paseábamos por la Cibeles, por San Isidro, por la Florida... Ni los reyes. (Bebe agua del jarro y la rechaza con asco.) ¿Habéis probado este agua? Está llena de arenilla. Y dicen que la traen de la fuente del Avellano... [16] (Escupe.)

---

[15] plaza de los Carabancheles: plaza de toros madrileña.
[16] fuente del Avellano: famosa por la excelencia de sus aguas.

Carmela «La Empecinada».—Poner la mesa bien en medio. Que nos dé el olor de los limoneros.

Chirrina «La de la Cuesta».—En medio la estamos poniendo.

Carmela «La Empecinada».—Que te crees tú eso. Que estás dislocada, nada más que has visto a los centinelas.

Chirrina «La de la Cuesta».—¿Yo? ¿De qué centinelas hablas?

Carmela «La Empecinada».—De los que han venido a reforzar.

D.ª Francisca «La Apostólica».—(Muy digna.) ¿Ha venido refuerzo?

Carmela «La Empecinada».—Mucho. Pero creo que son infantes de las nuevas llamadas. Eso dijo Rita «La Ayudanta», que lo sabe todo. ¿No es así?

Rita «La Ayudanta».—(Encogiéndose de hombros.) ¿Yo?

Paula «La Militara.—(Como soñando.) ¿Infantes?

Carmen «La Empecinada».—Sí, infantes de la gloriosa Infantería, aunque «La Ayudanta» se haga la tonta. Un regimiento tenemos rondándonos. Por eso yo me he puesto estas ramas de limonero en la cabeza.

Chirrina «La de la Cuesta».—Y yo este escote descosido, que ya no puedo enseñar más de lo que tengo.

Paula «La Militara».—¿Oyes, Rosa? Más refuerzo.

(Se tira al suelo, haciendo esfuerzos para fisgonear entre los hierros bajos de las rejas.)

Rosa «La del Policía».—(Sumida en odio, mientras no deja de pasear.) Oigo.

Paula «La Militara».—(Tendida, misteriosa y con

150

*miedo.)* ¿Qué esperará el rey tripero que pase en Granada?

ROSA «LA DEL POLICÍA».—*(Mascullante.)* Que estalle lo que tiene que estallar.

ANICETA «LA MADRID».—¿Vamos nosotras a bajar a comer?

PAULA «LA MILITARA».—Yo qué sé.

ANICETA «LA MADRID».—Que estamos en vísperas de Corpus Christi y harán la caridad de bajarnos abajo.

CHIRRINA «LA DE LA CUESTA».—*(Que oyó a* ANICETA.*)* Comulga y confiesa y tendrán confianza en ti.

ANICETA «LA MADRID».—¿Digo, el oído que tiene «La de la Cuesta»? *(Asomándose irónica a las rejas.)* ¿Has comulgado y confesado tú?

CHIRRINA «LA DE LA CUESTA».—En la capilla de enfrente.

ANICETA «LA MADRID».—Pues cúbrete el escote, que te las veo bien.

ROSA «LA DEL POLICÍA».—*(En su angustia.)* Dejarlas.

ANICETA «LA MADRID».—Si no hacen más que provocar.

ROSA «LA DEL POLICÍA».—Dejarlas. ¿No hay un trapo con vinagre para darme por estas rozaduras?

ANICETA «LA MADRID».—Sí lo hay. Ahora mismo lo busco.

ROSA «LA DEL POLICÍA».—Tú no. Tú no. Se quiere congraciar conmigo, pero es mala. No la quiero ni a la hora de mi muerte. Me dan asco tus manos, no lo puedo remediar.

ANICETA «LA MADRID».—Nadie debe despreciar las manos de nadie.

ROSA «LA DEL POLICÍA».—Paula, busca el vinagre.

Tengo fiebre y los desollones se me hinchan. Paula, ¿me oyes?

PAULA «LA MILITARA».—(*Sin mirar a* ROSA.) Déjame ahora, a ver si lo veo.

ROSA «LA DEL POLICÍA».—Sois malas las dos.

PAULA «LA MILITARA».—(*A* RITA «LA AYUDANTA».) Eh, tú, Rita «La Ayudanta», tú que estás más cerca de la puerta, dime de dónde vinieron los del nuevo regimiento.

RITA «LA AYUDANTA».—(*En secreto, poniéndose un dedo en los labios y mirando, con desconfianza, a un lado y a otro.*) De Burgos.

PAULA «LA MILITARA».—(*Sobresaltándose.*) ¿De Burgos? ¡Si hubiera venido él!

CARMELA «LA EMPECINADA».—Si hubiera venido él, ¿qué?

PAULA «LA MILITARA».—Lo avergonzaría desde aquí. Que no hay tapias cuando quiero que mis voces se oigan. Tres años sirviendo al rey, mientras yo me pudro. Pero, ¿cuándo saldrá mi juicio? Pero, ¿cómo las Audiencias guardan tanto los papeles de los pobres?

ANICETA «LA MADRID».—(*Riendo.*) Te faltan los años que tiene Aniceta «La Madrid», como llamáis a una servidora, para comprenderlo. Tu juicio, hija mía, no es el de una Audiencia donde corre la moneda. Tu juicio lo llevan los militares. Pero, qué cabezas, Santa Filomena, doncella y mártir, qué cabezas. Ninguna se entera de los funcionamientos de las leyes. Ni sabéis leer ni escribir. No sabéis más que enamoraros. ¿Cómo vamos a ganar las liberales? Ni fuisteis a la escuela ni sabéis bien qué es lo que en España pasa.

CARMELA «LA EMPECINADA».—Ni lo sabe nadie.

CHIRRINA «LA DE LA CUESTA».—Más que los que roban.

CARMELA «LA EMPECINADA».—Que te calles con el sermón de la montaña.

ANICETA «LA MADRID».—(*Levantándose y matando el último piojo.*) Con cantos de este lebrillo, os estaría dando golpes en la cabeza, hasta que os metiera las letras y supierais leer en los periódicos.

CARMELA «LA EMPECINADA».—¿Estáis oyendo a la cascaruleta? [17] Aquí tenemos al general Riego pronunciándose.

ANICETA «LA MADRID».—¿De qué me sirvió entonces tenerlo tantas noches en mis brazos? Todo su delirio de grandezas y todas sus aspiraciones se quedaron entre estos brazos, con pellejos colgando, que estáis viendo.

CARMELA «LA EMPECINADA».—¿Que nos vamos a creer que estuviste comprometida en tu plaza de la Cebada? Una. Una sí que fue detrás de Juan Martín, el Empecinado[e]. Yo fui del Empecinado. Fui y lo seré siempre. Y no se lo restriego a nadie. Ni sueño con él. Que le peguen cuatro tiros si estuviera vivo.

ANICETA «LA MADRID».—Pero mírala ahí. ¿Por qué no iba a ser yo la comprometida del general Riego? ¿Os habéis fijado alguien en mis ojos? ¿Quién de este beaterio tiene unos ojos más bonitos que los míos? Que me quisieron hasta pintar. Y a mis años. Y mis manos, ¿tienen alguna arruga a mi edad? Habría mujeres hermosas en Madrid, pero como yo, pocas. Vosotras, como me veis todos los días, no os dais cuenta. ¡Si mi general viviera...!

ROSA «LA DEL POLICÍA».—(*Con odio y dolor.*) Mis manos, Paula.

PAULA «LA MILITARA».—Voy, voy. No parece sino

---

[17] *cascaruleta:* familiar, la que habla mucho.
[e] «Para quererlo tanto, que sólo me conformé con limpiarle el sudor de la frente.»

que nadie ha tenido argollas en las manos. Necesitas para ti una criada. (*Antes de ir a ayudar a* ROSA, *dice, a las de abajo, y a modo de indirecta.*) Que ya se están acabando los señoríos.

D.ª FRANCISCA «LA APOSTÓLICA».—(*Atildándose orgullosa y paseándose.*) La tienen tomada conmigo. Pero yo sé bien qué hacer el tiempo que esté encerrada aquí. No puedo convencerlas, ni me importa. ¿Es que no puede una pasearse bien limpia por esta caballeriza? Pero estoy perdiendo toda mi clase de señora con hablar aquí. Y es que una necesita tanto con quien hablar..., que hasta con las columnas hablaría. Ya no me importa ser una más. (*Encandilando los ojos.*) Una más. Salgo aquí para escuchar el ruido de los toros y a ellas les molesta. ¡Pensar que las fiestas del Corpus Christi están en puertas...! Que años atrás yo abría los salones de mi casa para dar suntuosas fiestas. Mi casa de la calle de Gracia... Mi palacio con su jardín...

CARMELA «LA EMPECINADA».—Y no casca nada la señora.

D.ª FRANCISCA «LA APOSTÓLICA».—Parece mentira, haber luchado tanto para destruir las clases, llegar aquí, luchando por la igualdad...

CARMELA «LA EMPECINADA». — ¡Mientes! Estabas arruinada.

D.ª FRANCISCA «LA APOSTÓLICA».—(*La mira, simulando paciencia, de arriba abajo.*) Menos mal que una os comprende y que una tiene resignación. Querer ser como vosotras, y no querer comprenderme... ¿Qué hacer yo para convenceros? ¿Es poco estar encerrada en el beaterio? Yo juré la Constitución del año doce [18], cuando tam-

---

[18] *Constitución del año 12:* Constitución de Cádiz, proclamada en 1812, obra de las Cortes que la Junta Suprema reunió en Cádiz en 1810, anulada por Fernando VII en mayo de 1814. Modelo de constitución liberal, la de Cádiz, influyó en los liberales de Europa. Según Artola «el texto constitucional español había de tener vigencia, no sólo en el territorio peninsular —incluyendo

bién la juró el rey Fernando, y, sin embargo, no renuncié a mi jura, como renunció el rey. Por eso estoy entre vosotras. Y estoy con orgullo de estarlo.

CARMELA «LA EMPECINADA».—Pues escribe en la «Gaceta» lo que dices. Ole ahí los pronunciamientos.

CHIRRINA «LA DE LA CUESTA».—(*Acercándose coqueta e irónica a* D.ª FRANCISCA.) Dame un poco de tu colonia. ¡Qué bien huele tu perfume! Han venido infantes nuevos y puede que esta noche... ¿Me lo darás?

D.ª FRANCISCA «LA APOSTÓLICA».—¿Mayor desvergüenza se ha visto...? No respetar a una señora.

CHIRRINA «LA DE LA CUESTA».—(*Irritándose.*) ¿Señora? Aquí vienen las que estuvieron con muchos y les hicieron barrigas y tienen que corregirse [e]. Anda y que se mueran los generales de aquélla. (*Señala a* ANICETA.) Y los reyes y la aristocracia tuya. Anda y que se mueran los tejedores catalanes que llaman liberales y han venido a traficar en Granada. ¿De qué me sirven las ideas que me dieron, si hoy me encuentro en este beaterio, sin un poco de colonia para enamorar siquiera a esos soldados de infantería que nos guardan? Anda y que se pudran todos. ¿Para qué luché al lado de nadie? ¿Quién me salva ahora? Vengan matas de limonero también para mi pelo, y a vivir aquí, tan cercanas a la muerte y olvidadas de todo ese mundo que está alegre en los toros, y paseándose por las calles de los madriles de aquélla. (*Vuelve a señalar a* ANICETA.) Y van a los toros como los que nada sienten. (*Exaltándose.*) ¿Pero y esos liberales que están en las costas y no pegan ni un tiro? Pero, ¿por qué teniendo un fusil en la mano no pegan ni un tiro? ¿Pero qué pasa que nadie se rebela?

ANICETA «LA MADRID».—¿Qué pasa con mis madri-

---

a Portugal— y en el ámbito americano, sino en Italia —adoptado por los liberales de Nápoles (1820) y de Piamonte (1821)—. Su prestigio llegaría hasta Rusia...» (*Op. cit.,* pág. XXI).

e «Si fueras solamente presa política, te hubieran llevado a la cárcel baja.»

les y con mi general? Ay, Santa Piedad, no sé cuándo vais a respetar lo mejor de mi vida.

Rosa «La del Policía».— ¡Mis rozaduras!

Aniceta «La Madrid».— ¡Calla de una vez! ¡Qué delicada es esta Rosa «La del Policía». Se ve que tu marido cobraba buenos sobresueldos y te tendría entre lujos, como buen policía del rey Fernando.

Rosa «La del Policía».—Aparta de mi vista, vieja jarapatosa [19]

Aniceta «La Madrid».—Deja lo de vieja. Que pronto te verás tú como yo. Aquí se envejece al vuelo. Los días son años.

Rosa «La del Policía».—(En el mismo estado.) No mientes más mi pasado. No quiero saber nada de mí. Como lo sigas nombrando, soy capaz, mientras duermes, de clavarte las argollas en la cabeza.

Aniceta «La Madrid».—Bien atadas están tus manos. Que todos sabemos lo que hiciste.

Rosa «La del Policía».—Lo hice porque soy liberal. Liberal y no me arrepiento como otras. Si esto se paga con este beaterio, que se pague. Así defiendo mi libertad.

Aniceta «La Madrid».—(A las de abajo.) ¿Sabéis que mató a su marido?

Rosa «La del Policía».—¿Y qué? Era un policía ladrón.

Aniceta «La Madrid».—¿Lo veis?

Rosa «La del Policía».—Lo ven. Lo saben. Así se paga la libertad. (Va y golpea los hierros de las rejas con las argollas.) ¡Y no me arrepiento de pagarla!

Aniceta «La Madrid».—¿Veis? Nadie puede quitarse de encima aquella quien fue. Ella miente. Daría su

---

[19] *jarapatosa:* de «harapposa», llena de harapos.

vida por no estar aquí y con esas argollas. Las ideas de libertad no liberan, sino condenan, como está ella, como estamos todas.

ROSA «LA DEL POLICÍA».—(*Abalanzándose a* ANICETA.) ¡Callarás para siempre!

PAULA «LA MILITARA».—(*Sujetándola.*) Quieta, Rosa, quieta.

ROSA «LA DEL POLICÍA».— ¡Déjame!

PAULA «LA MILITARA».—(*Luchando con ella.*) Quieta.

(ROSA «LA DEL POLICÍA», *va cayendo al suelo, gimiendo, vencida, sin fuerzas. Abajo se armó un gran alboroto, cerrando las puertas por temor a que las monjas intervengan, mientras dicen unas a otras.*)

CARMELA «LA EMPECINADA».—Cerrar las puertas del pasillo de la capilla.

CHIRRINA «LA DE LA CUESTA».—Que no comemos hoy caliente. Que me dan calambres en la panza.

CARMELA «LA EMPECINADA».—Deja los platos, ayudanta y ponte a cerrar.

CHIRRINA «LA DE LA CUESTA».—(*Subiéndose en la mesa.*) Me subo y bailo, mientras aquéllas callan. Y bailo con el trapo rojo que antes tiraron, que lo tenía en un escondite: en el cajón de la mesa.

(*Una vez subida, se pone el trapo rojo por falda, de larga cola, se palmotea y empieza a bailar.*)

CARMELA «LA EMPECINADA».—Allá voy yo también.

(*Cantan y bailan para suavizar el miedo que se apoderó de todas ante la refriega de las de arriba.* DOÑA FRANCISCA «LA APOSTÓLICA» *se encerró en su celda.*)
CARMELA «LA EMPECINADA». (*Cantando y bailando.*)

Se dice por los madriles
que las mujeres del rey Fernando
son muy princesas,

de muy alto rango.
Muy delicadas, con gran finura
bajan al Prado
y suben penando.
Ay, ¿qué tendrán?
¿Qué tendrán?
las mujeres del rey Fernando?

*(Se bailotean con nervio y sale* CARMELA «LA EM-
PECINADA» *a cantar.)*

CARMELA «LA EMPECINADA»:

Los aires de los madriles
pasan matando,
a las reinas de España
que se casaron,
muy enamoradas
del rey Fernando.

*(Se vuelve a bailotear y cantan después las dos.)*
CARMELA «LA EMPECINADA»:

Ay, reyecito de España,
si tus mujeres,
entre los aires de Recoletos
viven penando,
¿por qué no piensas
en los secretos
que las afligen?
Que son palomas,
con ojos almerienses,
mirar hiriente
y olor a rosas.

*(Las demás arrecogías de abajo se contagiaron, junta-
mente con* ANICETA «LA MADRID» *y* PAULA «LA MILI-
TARA», *cantando y bailando todas, menos* ROSA «LA
DEL POLICÍA», *que está casi desfallecida en el suelo.)*

TODAS:

> Que en los costas españolas
> y olé,
> se derrumban los castillos,
> ole con ole, con ole y olé,
> porque no hay reyes de España,
> que contengan las hazañas,
> de Merino [20] y Juan Martín [21],
> ole ahí.
> Que castillos grandes, grandes,
> derrumbados, dieren fin,
> y las costas españolas
> no contienen la avalancha
> de los gritos liberales
> que se lanzan
> desde Cádiz a Gibraltar,
> desde Castilla la Vieja,
> Ronda, Málaga y Granada,
> al otro lado del mar,
> ole con ole, con ole y olá.

CHIRRINA «LA DE LA CUESTA».—Mirad.

CARMELA «LA EMPECINADA».—¿Qué pasa?

CHIRRINA «LA DE LA CUESTA».—Están relevando a los centinelas.

CARMELA «LA EMPECINADA».—Vamos a verlos desde las escaleras, pero tiraros al suelo.

*(Se tiran al suelo y, rastreando, van subiendo la escalera que da al corredor, donde al fondo se ve la cancela enrejada de la primera guardia. Muy en neblinoso se ven las sombras de los de Infantería. PAULA «LA*

---

[20] *Merino:* se refiere al cura Merino, sacerdote y guerrillero de la Guerra de la Independencia que se lanzó al campo en enero de 1809, contando, dos meses después, con 300 jinetes armados.
[21] *Juan Martín:* Juan Martín Díaz el Empecinado (1775-1825). Prototipo del guerrillero español por su valentía, su heroísmo y su amor a la independencia, sería ejecutado por orden del rey Fernando VII.

MILITARA», *muy intranquila y nerviosa, se vuelve a tirar al suelo intentando espiar y escuchar a las de abajo.* ANICETA «LA MADRID» *sigue peinándose y* ROSA «LA DEL POLICÍA» *gime muy en silencio. La escena toma un aire misterioso.)*

CHIRRINA «LA DE LA CUESTA».—Así no nos verán.

EVA «LA TEJEDORA».—*(En secreto a las demás.)* Parece que Granada se ha llenado de guarniciones militares.

PAULA «LA MILITARA».—*(En secreto a las de abajo.)* ¿Oís qué dicen?

CARMELA «LA EMPECINADA».—No. Pero hablan fino. Como de Valladolid. Como de Burgos...

PAULA «LA MILITARA».—*(Como soñando.)* ¡De Burgos...!

*(En estos momentos, ha abierto la puerta de la celda, Mariana de Pineda. Reconocemos en su cara las huellas de los muchos días en vilo dentro del Beaterio de Santa María. La muerte lucha con ella y los huesos de la cara lo atestiguan, pronunciándose y comiéndose la belleza de la hermosa mujer granadina. El cabello encrespado, revuelto, descuidado, rubio, precioso a la vez, es testigo de las muchas noches en vela. Los ojos, soñolientos, pero con la triste mirada de las granadinas, cansados. Su último traje, de gran señora, sucio y jironado, se echa en el umbral de la puerta de la celda, como la que le deslumbra la hermosura del sol, o la que no estuvo viviendo y de pronto se da cuenta que vive. Así escucha a las demás. Nadie notó la salida de Mariana.)*

EVA «LA TEJEDORA».—Al principio, no había tanto militar.

CONCEPCIÓN «LA CARATAUNA».—Pobres de nosotras, sin luces en nuestros sesos para escapar de aquí.

EVA «LA TEJEDORA».—Habla bajo. Aunque se encerró D.ª Francisca «La Apostólica», puede estar escuchando. Alguien hay entre nosotras que le dice todo a las monjas.

RITA «LA AYUDANTA».—¿Por qué tanto soldado cercando al beaterio?

CONCEPCIÓN «LA CARATAUNA».—No sé.

RITA «LA AYUDANTA».—Hay refuerzos continuos.

EVA «LA TEJEDORA».—Oí decir al panadero que han matado a Manzanares [22] en las serranías de Ronda.

CONCEPCIÓN «LA CARATAUNA».—¿Y qué? No es nuevo. No pasan tres meses sin que fusilen o maten a un político o a un general.

EVA «LA TEJEDORA».—Pero es que dicen que Manzanares venía para unirse, aquí en Granada, con el capitán Casimiro Brodett [23].

RITA «LA AYUDANTA».— ¡Casimiro Brodett!

CARMELA «LA EMPECINADA».—(*Sobresaltada.*) ¿Quién es ese capitán?

PAULA «LA MILITARA».—(*Que estaba deseando hablar.*) Si estuviera abajo, como vosotras, enamoraría a los centinelas, para que me lo dijeran todo.

CONCEPCIÓN «LA CARATUNA».—Sí, ¿quién es ese capitán?

CHIRRINA «LA DE LA CUESTA».—Uno de los amantes que tuvo Mariana de Pineda.

EVA «LA TEJEDORA».—(*Herida.*) Respeta ese nombre que acabas de decir.

---

[22] *Manzanares:* se refiere al coronel Manzanares, ex ministro de la Gobernación, que capitaneó el movimiento contra el régimen en la zona de Gibraltar en marzo de 1831. Durante su huida de las tropas que le perseguían fue asesinado por unos cabreros.
[23] Ver en el apéndice la fecha de 1824.

161

CHIRRINA «LA DE LA CUESTA».—¿Por qué he de respetarlo? Las que entran aquí son como nosotras, y también las ahorcan con las medias colgando y aunque tengan capa de señoras, merecen la corrección. ¡Quién pudiera haberse llevado a la cama a los que Mariana se llevó, y morir en paz y gracia de Dios después!

EVA «LA TEJEDORA».—Cállate.

CHIRRINA «LA DE LA CUESTA».—No me da la gana. Aquí hemos venido a decir todo, a que nada se nos quede por dentro. Benditas confesiones. Soy granadina y lo sé todo. Granada es pequeña como un pañuelo.

CARMELA «LA EMPECINADA».—Pero, ¿qué pasa con Casimiro Brodett?

CHIRRINA «LA DE LA CUESTA».—Tiene una historia turbia. Lo que sea, él sólo lo sabe, pero es liberal y quiere traicionar a las tropas del rey. Con Torrijos y los de Bayona [24] formará el nuevo gobierno. Y es más. Acercaos. (*Todas se acercan ansiosas de saber.*) Es el hombre para quien Mariana de Pineda bordó la bandera. (*Como iluminada señala para los centinelas.*) Tal vez aquélla sea su gente. Estoy casi segura que son, porque ella está aquí. Fui bailaora y puta en Cádiz y lo sé todo. No se me escapa nada.

CARMELA «LA EMPECINADA».—¿No oís cómo hablan? No son andaluces.

CONCEPCIÓN «LA CARATAUNA».—Uno ha dicho que es de Burgos. «La Ayudanta» lo sabe.

CHIRRINA «LA DE LA CUESTA».—De Burgos venía Casimiro Brodett.

PAULA «LA MILITARA».—Sí. Tienen la certeza. (*Al-*

---

[24] *Torrijos y los de Bayona:* José María Torrijos (1791-1831), general español, prototipo del militar liberal y romántico, siempre dispuesto a acaudillar las conspiraciones contra el régimen absolutista de Fernando VII. Murió fusilado en Málaga en diciembre de 1831. Los de Bayona: emigrados liberales españoles cuya empresa de invasión de España fracasó lamentablemente.

*zando la voz.*) ¿Tenéis la certeza de que han dicho que son de Burgos?

Aniceta «La Madrid».—Calla, que nos enteremos de lo que dicen.

Paula «La Militara».—(*Con gran nerviosismo.*) Pues eso quiero, enterarme. (*A las de abajo y sin poderse controlar.*) Preguntarles si son los del Regimiento de Santa María de Burgos. Sí. Lo son. Tienen que ser.

Aniceta «La Madrid».—Si no callas, no podemos enterarnos. Chiquilla, que está Fermín Gavilán.

Chirrina «La de la Cuesta».—(*A* Aniceta.) ¡Cállele usted la boca a esa!

Paula «La Militara».—(*Obsesionada.*) Ha tenido que venir Fermín Gavilán.

(*Se levanta y va, desalentada, a un lado y otro de la celda, golpeando las paredes de enfrente, cogiendo los jergones y amontonándolos, como la que intenta mirar por los ventanucos de lo alto de las paredes. Las de abajo empiezan a inquietarse al oír los ruidos y el escándalo de «La Militara».*)

Eva «La Tejedora».—¿Qué le pasa a Paula «La Militara»?

Rita «La Ayudanta».—No sé. Me da miedo de mirarla.

Concepción «La Caratauna».—Que vendrán las monjas, que ya acabaron los rezos.

Eva «La Tejedora».—(*Con miedo.*) Sigamos poniendo la mesa.

Carmela «La Empecinada».—Aniceta, ¿qué le pasa a la Militara?

Aniceta «La Madrid».—Que la estoy deteniendo, porque está golpeando las paredes. Y me araña. Que no puedo con ella. Rosa, ayúdame. Dale con las argollas en los sesos. Que está desvariando. Rosa, acude. Que no puedo con ella. *(Llamando.)* Madres, Madres, Paula «La Militara» se está volviendo loca y me está arañando, ¡Madres!

*(Suena un alarmante repiqueteo de campanas. Salen alarmadas las monjas por unos y otros corredores del Beaterio. Suben dos y abren la celda común. Una de ellas, muy joven y fuerte, es* SOR ENCARNACIÓN. *La otra es la* REVERENDA MADRE MARÍA DE LA TRINIDAD. *Intentan contener a* PAULA «LA MILITARA». *Esta corre, hasta quedar acorralada en una pared de la celda. La arrecogidas de abajo, se ponen delante de las escaleras que conducen a la galería de arriba para detener el paso de las demás monjas. Vemos en esos momentos sufrir a* MARIANA DE PINEDA, *paseándose nerviosa.)*

PAULA «LA MILITARA».—No me toquéis. *(Ha roto uno de los lebrillos y amenaza con un canto.)*

LA REVERENDA MADRE.—Suelta eso.

PAULA «LA MILITARA».—Fuera de aquí. *(Mascullante y con odio.)* Pero, ¿por qué no sale mi juicio? ¿Es que quieren matarnos vivas?

LA REVERENDA MADRE.—Suelta eso.

PAULA «LA MILITARA».—No me da la gana.

*(La* REVERENDA MADRE *mira a* SOR ENCARNACIÓN. *En la mirada se le nota una orden.* SOR ENCARNACIÓN *se abalanza a* PAULA «LA MILITARA» *y lucha con ella, hasta lograr quitarle el canto del lebrillo. En estos momentos,* ROSA «LA DEL POLICÍA», *da golpes de rencor, con las argollas, entre los hierros.)*

ROSA «LA DEL POLICÍA».— ¡Se está peleando [8] con ella y la ha golpeado! ¡Que salgan nuestros juicios! ¡Vosotras, monjas de Santa María, hijas del pueblo, no hacéis nada por ayudarnos! Pero Dios os castigará. Que

---

[8] «Está luchando.»

164

nos estáis dando la muerte en vida, que es la peor de las muertes!

(*La* Reverenda Madre *intentó amordazar a* Rosa «La del Policía». *Las dos mujeres luchan con las dos monjas.* Mariana de Pineda, *en un arranque de valentía, y viendo que llegan más monjas con maromas, apartó a todas, subió aprisa, se metió en la celda común y la cerró, guardándose la llave. Antes de subir logró coger algunas maromas de las monjas que subían.*)

Mariana de Pineda.—Dejarlas. ¡Dejarlas ahora mismo!

(*Silencio.* La Reverenda Madre *la mira desafiante.* Sor Encarnación *está jadeante y aterrorizada, mirando sus manos sin saber bien lo que hizo, pero la* Reverenda Madre *no suelta a* Rosa «La del Policía».)

He dicho que no las toquéis. (*Le da una maroma a* Aniceta. *Silencio.*) Somos cuatro mujeres en contra de dos. Y no estamos solas.

La Reverenda Madre.—(*Soltando a* Rosa.) No están solas, acaba de decir D.ª Mariana de Pineda. Espero que eso se lo diga también a D. Ramón Pedrosa. Y es delito mayor esta amenaza.

Mariana de Pineda.—Ha llegado el momento de tomarnos la justicia cada una.

La Reverenda Madre.—Luego sabe D.ª Mariana que su condena está muy cerca y segura. Sólo las que están a punto de ir al patíbulo reaccionan y hablan así.

Mariana de Pineda.—Yo no iré a ningún patíbulo. Y no soy una presa. Ni una arrecogida. No hay delito comprobado que atestigüe ninguna de las dos cosas. Mire la Reverenda Madre lo que dice y lo que hace. De aquí se sale. La institución de Santa María Egipciaca, no tiene leyes en su código que autoricen el castigo físico. El Ro-

165

mano Pontífice ha de juzgar esta institución que se toma la justicia por su mano.

La Reverenda Madre.—Cumplimos las órdenes de Su Real Majestad, en momentos de extremada gravedad como es el que vivimos. Cumplimos la misión impuesta a la Orden de este beaterio de Santa María Egipciaca.

Mariana de Pineda.—Ni Su Real Majestad ni nadie puede consentir tales abusos. Son las monjas de Santa María Egipciaca de Granada quienes, por miedo, no saben regir su ministerio. A los seres humanos se les lleva la limosna acariciadora de la palabra de Dios.

La Reverenda Madre.—(Hablándole de tú, para hacerle perder categoría.) Sal de esta celda.

Mariana de Pineda.—Hábleme la Reverenda Madre con respeto. Para hablar con D.ª Mariana de Pineda, hay que hacerlo con respeto. Nadie debe tomarse esas licencias.

La Reverenda Madre.—Las que llegan aquí son recogidas [a]. Las presas políticas van a la cárcel.

Mariana de Pineda.—¿Quién puede a ciencia cierta decir lo que Vuestra Reverencia está diciendo?

La Reverenda Madre.—Suelta esas maromas. Nada tienes que hacer con ese arrebato de violencia. Será inútil.

Mariana de Pineda.—El mío no es arrebato de violencia, sino de justicia. Sé que han reforzado la guardia del beaterio. Pero, ¿tanto poder conceden a unas mujeres solas, privadas a la fuerza de su libertad?

La Reverenda Madre.—Tú misma dijiste que no estás tan sola.

Mariana de Pineda.—Desde que pisé el beaterio, lo estoy. Y si no lo estuviera, sería la mayor sorpresa de mi

---

[a] «Mujeres que ejercen la prostitución.»

vida. Mientras tanto, le pregunto a Dios qué debo hacer para aceptar la soledad que nunca quise.

La Reverenda Madre.—Si fueras la gran señora, que dice la Granada liberal que eres, la sola idea de Dios, en verdad, te llenaría. Pero la realidad es que eres una recogida más.

Mariana de Pineda.— ¡Reverenda Madre!

La Reverenda Madre.—Sí. Una recogida más que ha llegado a este beaterio y ahora empezamos a saber quién eres y quién fuiste. En todo momento tiene que verse el temple y la fortaleza cristiana de una señora. Te observamos y recogemos tu proceder, que es ahora cuando tiene que verse, cuando está tan cerca la hora en que vas a ser juzgada por el crimen de traición al Rey, Nuestro Señor.

Mariana de Pineda.—Ni la Reverenda Madre, ni el juez de infidencias, D. Ramón Pedrosa, ni el Rey pueden demostrar mi crimen de traición. Cuide y ordene sus palabras[e]. Y si en verdad se vigilan mis actos me vais a ver como soy, como en realidad nadie me vio nunca. Salgan de esta celda. Salgan ahora mismo. Tira, Paula, ese canto de tus manos. (Paula *lo tira.*) Yo también tiro estas maromas. Tira, Aniceta, la tuya. (*Se agarra con furia a los hierros de la jaula para decir:*) Pero ¿hasta dónde llega el terror impuesto que cada española se convierte en la suma justicia? (*A las monjas.*) Tengan la llave de la celda. Y cuidado con tocar, ni aun rozar el vestido de D.ª Mariana de Pineda.

La Reverenda Madre.—(*Cogiendo la llave.*) Tu sueño de gran dama se derrumbará pronto.

Mariana de Pineda.—Déme la Reverenda Madre luz, si es que no tengo. Y no vuelvan a rozar ni la punta del zapato de una mujer indefensa. Y si cumplen leyes del Rey, nosotras no las aceptamos. Tenemos la honra y el

---

[e] «Que hay un Dios que castiga.»

solo delito de ser liberales, pero no quieran confundir[s] nuestras ideas, con lo que cada una hizo de su cuerpo.

LA REVERENDA MADRE.—No somos nosotras quienes tenemos que hablar. Pecamos al hablar. Ya te hablarán otros.

*(Salen y cierran la celda. Mientras bajan, las arrecogi-das cantan, primero a boca cerrada, con un dolor contenido.* ROSA «LA DEL POLICÍA» *se acerca a* MARIANA *y le dice, misteriosamente, señalando con un gesto en la cara a las monjas que bajan.)*

ROSA «LA DEL POLICÍA».—Esa monja que ha venido acompañando a la Reverenda Madre, es hija de un tejedor. Acaba de entrar al convento. Hija de un tejedor perseguido que se fue de guerrillero a los campos de Ronda, y está vigilada por las demás monjas. Y la dura prueba que le han impuesto a Encarnación la del guerrillero, que es esa que baja, con las manos encallecidas, de tanto tejer en los telares del Albaicín, es venir y castigarnos, golpear y amordazar a las suyas propias, que somos nosotras. Nada de lo que ha hecho ha sentido. Tiene el mismo terror que las demás. Mariana, esa monja es de las nuestras.

MARIANA DE PINEDA.—Ay, Dios..., ¡lo que han hecho en Granada!... *(Con gran cariño,* MARIANA *va hacia las rejas de la jaula.)* Quiero hablar con Encarnación...

ROSA «LA DEL POLICÍA».—*(Dando con las argollas en las manos de* MARIANA.*)* Jamás. No la salvarías entonces.

*(*MARIANA *esconde, desesperadamente, la cabeza entre los brazos, que los tiene cogidos a las rejas de la jaula. Todas las arrecogidas cantan ahora, casi salmodiando, suaves, serenas. Las monjas se fueron por diversas partes.)*

TODAS:

Mariana de Pineda ha llegado al beaterio...

[s] «Confundan.»

Entre las paredes del viejo palacio,
va jironando su último vestido,
de fino encaje albaicinero...
A verla no llegan sus íntimos amigos,
ni los fieles enamorados.
Muchos días pasan de este mayo granadino
sin que ningún amigo se acerque a las puertas del beaterio.
Mariana de Pineda vive con granadinas
que se enseñaron a desconfiar y a mentir...
y en sus ojos de plata rosada
como los mares de Almería,
brillan luces dislocadas
igual que las de las últimas estrellas,
que no quieren dejar al cielo en los amaneceres de
                                        [Granada.
En el alma de Mariana de Pineda está amaneciendo.
El beaterio de Santa María Egipciaca le enseña,
el amanecer que nunca vio la hermosa.
Y la heroína,
quizá en los últimos días de su vida,
empiece a saber lo que nunca supo:
que ahora quiere comenzar a vivir.

(MARIANA *va levantando la cabeza. Las arrecogidas de
abajo, unas están junto a los corredores que salen a la
puerta de entrada; otras, sigilosamente, siguen prepa-
rando la mesa. Las de arriba, excepto* PAULA «LA MI-
LITARA», *quedan soñolientas en diversos rincones, pero
tanto unas como otras, mientras están en lo suyo, siguen alertas a la conversación de* MARIANA *con* PAULA
«LA MILITARA».)

MARIANA DE PINEDA.—(*Obsesiva sin mirar a* «LA MI-
LITARA».) ¿Qué intención tenías, Paula? Demasiado sabes
que ni se puede ver ni salir de aquí.

PAULA «LA MILITARA».—Ver a Fermín Gavilán.

MARIANA DE PINEDA.—¿Quién es Fermín Gavilán?

PAULA «LA MILITARA».—Quien me denunció. Por él,
por ser tan mío él, me pusieron el apodo de «La Mili-

tara». Estoy aquí encerrada por él. Y llevo años sin que salga mi juicio.

MARIANA DE PINEDA.—¿Fue tu amante?

PAULA «LA MILITARA».—Más que amante. Mi todo. Mi locura. Él me llevó al altar en una iglesia de Cádiz.

MARIANA DE PINEDA.—¿Y te denunció?

PAULA «LA MILITARA».—Por masona.

MARIANA DE PINEDA.—¿Y cuál es la verdad?

PAULA «LA MILITARA».—(*Apoderándosele un terror se coge a los hierros y dice a unas y a otras.*) ¿Se puede hablar aquí?

(*Las arrecogidas siguen sin alterarse, como si no se hablara con ellas, pero con un gran deseo de enterarse.*)

MARIANA DE PINEDA.—Si no quieres, calla. Estoy ya en tu celda y tendremos mucho tiempo para contarnos todo.

PAULA «LA MILITARA».—Reclama la tuya. Puedes reclamarla. Tú eres una gran señora.

MARIANA DE PINEDA.—Acaso seamos muy iguales, Paula.

PAULA «LA MILITARA».—En ti confían los revolucionarios de Granada. En mí, nadie. Mi juicio ni saldrá. Y moriré sin ser juzgada y sin poder defenderme.

MARIANA DE PINEDA.—¿Por qué piensas esas cosas tan crueles?

PAULA «LA MILITARA».—Porque en el tiempo que estuve aquí, vi a otras que les ocurrió igual, sacadas de esta misma celda, sin saber siquiera dónde iban... ¿Puedes suponerte lo que es morir sin que te juzgue un juez? ¿Sin que te defiendas ante un juez?

MARIANA DE PINEDA.—(*Encandilando los ojos, presa*

170

*de un terror.)* Lo supongo... Pero, ¿qué pasó entre ti y Fermín Gavilán?

PAULA «LA MILITARA».—Que yo quise separarme de él. Fui yo. Estaba harta de que quisiera al rey más que a mí. De querer él tanto al rey, tuve yo que odiar al rey. Le propuse un día que eligiera entre el Ejército o yo. Eligió al Ejército [8] y huí de él. Antes le propuse que huyera con Torrijos a Gibraltar. Pero no me escuchó. No tiene sesos. No le gusta más que jugar a los dados, beber y cobrar la paga. A duras penas lleva unos galones. Unos galones que le quité un día, a bocados, peleando con él.

MARIANA DE PINEDA.—¿Y por qué odias tanto al rey?

PAULA «LA MILITARA».—Porque mandó fusilar a mi padre junto a los muros de la iglesia de San Felipe Neri. Yo, que soy gaditana, lo vi desde un balcón y tuve que tragarme aquello. Me fui entonces a Cartagena, a trabajar en el muelle, y me enteré que me denunció. Huí a Sierra Morena y me encontré con «El Empecinado» y su gente. Me uní a él, hasta que lo metieron en las jaulas y lo pasearon por la plaza de aquel pueblo de Valladolid donde [8] pude besarlo por última vez. Mientras lo besaba dentro de aquellas jaulas, le sequé con este pañuelo, que no lo aparto de mí *(se saca el pañuelo del escote),* todo el sudor de la cara. Entonces me detuvieron y me trajeron a este beaterio a corregirme, porque me vieron besarlo, pero yo, ¿sabes?, soy honrada. Entre los que me detuvieron estaba Fermín Gavilán y me denunció por masona. Y estoy esperando meses que salga mi juicio, porque si saliera *(con rencor)* iban a saber quién es Paula «La Militara». Tengo que arrastrar a Fermín Gavilán por las calles, a pesar de tanto como le sigo queriendo. Lo tengo que ver morir en mis brazos.

MARIANA DE PINEDA.—Calma, Paula. Es posible que todo llegue... Pero olvídate del militar que quisiste. Olvídate...

---

[8] «A los absolutistas.»
[8] «Las calles de Madrid. En la Puerta de Toledo.»

PAULA «LA MILITARA».—Nunca. Le he oído hablar.
Ha venido con esos de Burgos. Tal vez hayan reforzado
la guardia porque ha llegado mi hora. ¡Verás el amanecer de mañana! Y no traerán un cura a confesarme, porque con la cruz le abriré los sesos a quien sea. ¡Si pudiera ver al rey!

MARIANA DE PINEDA.—Puede...

PAULA «LA MILITARA».—(*Cogiendo a* MARIANA, *nerviosa.*) ¿Puede? (*Casi susurrante.*) ¿Sabes algo? (*Misteriosamente.*) Yo sé que tú ayudaste a muchos presos para
que se escaparan. Sé que tuviste en tus manos planos de
las cárceles, y que los refugiados de Gibraltar, que ayudaste a escapar, vendrán a darte la libertad. (*Cogiéndola
más nerviosa y en el mismo misterio.*) Seré una tumba
para guardar tus secretos. Te daré... la mayor reliquia
que conservo... (*Se saca el pañuelo del escote.*) Mira:
manchado, no sólo de sudor sino de la sangre del Empecinao... Su última sangre... Cuando lo vi en aquel mon-
tón de escombros... junto a unas tapias... Es sangre que
quiso liberar a España...

MARIANA DE PINEDA.—Guárdate eso, Paula.

PAULA «LA MILITARA».—¿Por qué? Algo sabes. Es
que sabes que voy a morir y quieres que muera con el
pañuelo, mi único consuelo. Mariana, oye a esta presa:
algo tenemos que hacer unas por otras.

MARIANA DE PINEDA.—¿Por qué temías tanto que Fermín Gavilán estuviera entre la guardia?

PAULA «LA MILITARA».—(*En secreto.*) Porque he oído decir... que llegan tropas de Burgos a salvarte... Y si
entre ellas llega Fermín Gavilán... la conspiración quedará destruida. Es espía de Generales realistas. Es más...
(*Se le acerca.*) Puede que haya venido al mando de las
tropas... Casimiro Brodett.

MARIANA DE PINEDA.—(*Valiente, con rencor contenido.*) ¿Quién es Casimiro Brodett?

172

Paula «La Militara».—El hombre para quien tú bordaste la bandera...

Mariana de Pineda.—(*En la misma actitud.*) Yo no bordé ninguna bandera.

Paula «La Militara».—(*Retirándose de ella.*) ¡Estás mintiendo! ¿Entonces por qué estás aquí? Entre las arrecogías se sabe todo.

Mariana de Pineda.—Nada puede saberse. Ni sé por qué estoy aquí.

Paula «La Militara».—Estás mintiendo. Aquí ha llegado la hora de decirnos la verdad y ser como somos, porque no sabemos quién morirá mañana, si tú o yo. Por eso quiero, al menos, amistad. Lo de mi pañuelo, no lo sabe nadie, más que tú.

Rosa «La del Policía».—(*Que se fue acercando con coraje.*) Una señora no puede mentir de esa manera.

Mariana de Pineda.—No te permito esa libertad conmigo.

Rosa «La del Policía».—Fui la mujer de un policía. En la calle de Gracia vivíamos, lindando con la calle del Águila, donde tú vives. Desde nuestra casa oíamos las músicas de tus fiestas. Nos subíamos a la torre para ver los balcones de tu casa. Te veíamos en tus salones, entre aquellas orgías. Los políticos más rebeldes y más asesinos de Granada, acudían a tus fiestas. Te puedo decir uno por uno quiénes eran. Después, cuando la fiesta terminaba, cerrabas los balcones de tu dormitorio y siempre se quedaba un hombre contigo.

Mariana de Pineda.—(*Mascullante.*) Fuera de aquí, Rosa. Sigue en tu rincón.

Rosa «La del Policía».—¿Has venido a mentir a la hora de la muerte? Las fuerzas de la guardia se refuerzan y es por ti. Por ti. Casimiro Brodett viene a salvarte. Y a la hora de la salvación, serás tú la salvada y nadie se acordará de las demás.

Mariana de Pineda.—Rosa, vuelve a tu rincón.

Rosa «La del Policía».— ¡Qué he de volver! Si te salvan, nos salvarán a todas, y si mueres, pediremos morir contigo. Que el espectáculo sea mayor en la Plaza del Triunfo, donde levantan los patíbulos[a].

*(Las recogidas de abajo, en estos momentos, se alborotan, acosando unas y otras a* Mariana.*)*

Carmela «La Empecinada».—¿Quién bordó entonces la bandera?

Chirrina «La de la Cuesta».—¿Quién salvó de la cárcel a Sotomayor?[25]

Aniceta «La Madrid».—¿Por qué está aquí encerrada?

Rosa «La del Policía».— ¡Esos balcones de tu dormitorio cerrados con gente dentro! Son los políticos que te voy a señalar (Mariana *cree enloquecer y se tapa los oídos): Tu fiscal, don Andrés Oller, el coronel del cuarto de ligeros de caballería, vizconde de Labante, y hasta el alcalde de crimen de la Real Chancillería de Granada, subdelegado de Policía, don Ramón Pedrosa.

D.ª Francisca «La Apostólica».—*(Saliendo de la celda.)* ¡Quién pudiera arrancarte la lengua! Estás faltando, menos a Pedrosa, a la real nobleza de Granada.

Rosa «La del Policía».—Mira qué pronto salió de su agujero «La Apostólica».

Chirrina «La de la Cuesta».—Y dice D.ª Mariana que no conoce a nadie. Y se ha pasado encerrada los días en su celda.

Carmela «La Empecinada».—Desde que la trajeron por esa puerta. ¿Es acaso del rey?

---

[a] «Donde... patíbulos.»

[25] *Sotomayor:* primo de Mariana Pineda. En la *Mariana Pineda,* de Lorca, Pedro de Sotomayor es el hombre al que Mariana ama, teniendo por ello el papel dramático que Casimiro Brodett desempeña en la obra de Martín Recuerda.

CHIRRINA «LA DE LA CUESTA».—O está aquí por masona.

CARMELA «LA EMPECINADA».—(Señalando a MARIANA.) ¡Tú bordaste la bandera de la libertad! ¡Esa bandera que se espera se revolotee por las calles de Granada!

D.ª FRANCISCA «LA APOSTÓLICA».—No tenéis perdón. Es tan valiente, tan gran dama, que ni os puede hablar.

ANICETA «LA MADRID».—Es una política. Y tiene las malas revueltas de todos los políticos.

MARIANA DE PINEDA.—Tengo fiebre, Señor. Y pienso en mis hijos.

(Se oye cercana la música de los toros.)

CARMELA «LA EMPECINADA».—Ya irán por el cuarto toro.

CHIRRINA «LA DE LA CUESTA».—(Burlona.) Aquí no pasa nada.

ANICETA «LA MADRID».—(Burlona.) ¿Qué va a pasar porque se refuerce la guardia?

CARMELA «LA EMPECINADA».—¿Qué llevas ahí?

CONCEPCIÓN «LA CARATAUNA».—Un trapo que encontré en la cocina. Mira cómo lo revoloteo. (Revolotea el trapo con mucho garbo. EVA «LA TEJEDORA» y RITA «LA AYUDANTA» están asustadas.) Así yo, Concepción «La Caratauna», llevé una bandera, Mariana, desde mi pueblo alpujarreño hasta las tierras de Tarifa. Pero al llegar a las costas tarifeñas, nos cazaron. Yo fui la única que me salvé. Conmigo venía don Rodolfo de la Peña, maestro de escuela de mi pueblo. Yo era su fregantina. ¿Sabéis quién venía con nosotros y cayeron todos, uno por uno...? ¡Los niños de la escuela de don Rodolfo de la Peña! Y entre ellos (llora), mi hijo Sebastianico. Pero, ea, ya no lloro, mira, en vez de llorar, revoloteo la bandera y no me oculto de quién fui y lo que quiero. Soy una fregantina y no una señora, pero no me oculto. *(En un arranque se sube en lo alto de la mesa, revoloteando la bandera.)* Mi brazo es el palo que sostiene la bandera, que así está ya de seco; sostiene la bandera como por las costas de Tarifa la llevaba, mientras cantábamos con los niños.

MARIANA DE PINEDA.—*(Se fue arrodillando ante la reja de las jaulas y saca los brazos fuera de las rejas, deseando acariciar a* CONCEPCIÓN.) Ay, Concepción.

CONCEPCIÓN «LA CARATAUNA».—Yo también tuve un hijo, Mariana. Por aquellas tierras cantábamos así: *(Cantando con profunda nostalgia.)*

> Por las costas tarifeñas
> van llevando una bandera
> Don Rodolfo de la Peña
> y los niños de su escuela.
> De doce a catorce años
> es la edad de los muchachos.
> Son de tierra alpujarreña
> y ya sienten y pelean
> por la España liberal,
> pero al llegar a la arena,
> con tanto sol y cansancio,
> han dejado la bandera
> y están jugando en el mar.
> De entre rocas tarifeñas
> salieron ardientes balas,
> cobardes y traicioneras.
> Han matado al de la Peña
> y a los niños de la escuela.
> La bandera de la tierra
> ya nunca se volvió a izar,
> los niños agonizaban,
> pidiendo la libertad.
> Tan sola y abandonada,
> ¿dónde fue aquella bandera
> que el aire volando lleva
> por las arenas del mar?

CARMELA «LA EMPECINADA».—(*Cogiendo rápida el trapo y jugueteando con las demás.*) Mirad lo que yo hago con los trapos de la cocina de este beaterio, pagados por el rey. (*Intenta, quizá conmovida por el cantar de* CONCEPCIÓN, *hacer trizas al trapo.*) Que lo hago trizas.

CHIRRINA «LA DE LA CUESTA».—(*Quitándole el trapo.*) Puede ser nuestra bandera, y es hermoso. (*Lo revolotea.*)

CARMELA «LA EMPECINADA».— ¡Dame la bandera!

CHIRRINA «LA DE LA CUESTA».—(*Corriendo con el trapo.*) Buen trapo. Para abanicarse. Mira, Mariana, para lo que sirven las banderas. Mira como nos abanicamos sin miedo, dentro de estas caballerizas. ¿Quién te crees que somos? Estamos aquí por hablar claro, por no haber ocultado nunca quiénes somos. Si hemos de morir, hagámoslo hablando con claridad. Rabia por no revolotearla tú, que para eso elegiste celda. Y rabia por no abanicarte con ella, que me es igual.

FRANCISCA «LA APOSTÓLICA».—Disfrutar el revoloteo. Hay que saber disfrutar de lo que se tiene en sueños.

ANICETA «LA MADRID».—(*Que se incorpora a las rejas.*) ¿Pero qué hacen?

EVA «LA TEJEDORA».—Que entre unas a otras se echan el trapo, porque quieren llevar la bandera. (*A las de abajo.*) Sí, lograréis que nos dejen sin comer.

CARMELA «LA EMPECINADA».—Bájate ya de la mesa, Caratauna. Y tú, Mariana, oye nuestras coplas.

(*Cantan a veces burlonas; otras veces con furia, y simulan pantomimas de desfile y de rebelión. Cantan todas menos* MARIANA.)

CARMELA «LA EMPECINADA»:

Por las calles de Granada,
viva que viva, que viva verdad,
bajan las abanderás.

177

*(Desfilan bailando las pantomimas, mientras repiten todas.)*

TODAS:

> ¡Viva que viva, que viva verdad!

CARMELA «LA EMPECINADA»:

> Las del beaterio
> que mucho padecieron,
> al llevar la bandera,
> se enaltecieron,
> y roncas de cantar,
> van en las turbas primero.

TODAS:

> ¡Viva que viva, que viva el salero!

CARMELA «LA EMPECINADA»:

> Con un palo de caña
> y arremangá,
> la bandera lleva
> Carmela «La Empeciná».

TODAS.—*(Respondiendo con bufa.)*

> ¡Viva que viva, que viva verdad!

*(CHIRRINA «LA DE LA CUESTA» sale a bailar, espontánea, bailando y jaleándose ella sola, mientras las otras se hartan de reír.)*

CHIRRINA «LA DE LA CUESTA»:

> Y arrancaron
> con sudores
> y temblores,
> puertas,
> rejas,
> miradores

del beaterio
de Santa María.
Y las perdonó el Señor,
como a la Egipciaca
le dio su perdón.

ANICETA «LA MADRID»:

*(Secundándola, espontánea en el baile, cantando y jaleándose desde arriba.)*

Porque a las arrecogías
nadie les quitó nunca
las alegrías.
Que son muy mozas
y muy airosas
cuando se envalentonan,
meten al que quieren
en la encerrona
del corazón.
Ay, Señor,
que todo el que lucha
merece un perdón.

*(Cantan todas, ahora, frenéticas, con odio. «LA EMPECINADA» marca los pasos del desfile y desfilan todas, las de abajo y las de arriba.)*

TODAS:

Ya está aquí la bandera,
la que se espera,
sin bordaduras,
sea revoloteada
por las calles de Granada,
rompiendo las ataduras
que nos afligen.

*(Acentuando la furia.)*

¡Aquí, aquí, aquí,
con sudores y bríos de muerte

179

echaremos nuestra suerte
por la libertad!
¡Viva que viva, que viva verdad!

CARMELA «LA EMPECINADA».—(*Tirando el trapo al aire.*) Toma, Aniceta, tú que estás en la jaula, puedes subirte por alguna parte y colgarlo, y que lo vean los de la calle.

ANICETA «LA MADRID».—(*Dando risotadas.*) Eso quisiera yo, mira qué peana.

CARMELA «LA EMPECINADA».—D.ª Francisca «La Apostólica», que tanto moño tiene, que cuelgue el trapo en la ventana de su celda. Y que se lo traguen, colgado y revoloteando, los que pasen.

D.ª FRANCISCA «LA APOSTÓLICA».—Yo lo llevaría por las calles a la hora de la verdad.

CHIRRINA «LA DE LA CUESTA».—Callad.

EVA «LA TEJEDORA».—¿Qué pasa?

CHIRRINA «LA DE LA CUESTA».—Que calléis.

(*Va a espiar cerca de la escalera de la puerta de entrada.*
*Los infantes se amotinan y forman en la puerta.*)

CARMELA «LA EMPECINADA».—Esta ve visiones.

CHIRRINA «LA DE LA CUESTA».—Qué he de verlas. Que calléis.

RITA «LA AYUDANTA».—Es verdad. Fijaos. Se oye cómo presentan armas.

CARMELA «LA EMPECINADA».—Presas tenemos. Esconder el trapo.

EVA «LA TEJEDORA».—¿Es posible?

CHIRRINA «LA DE LA CUESTA».—(*Acercándose más a la escalera y con contenido coraje.*) Forman guardia como para darle entrada a un general.

180

CARMELA «LA EMPECINADA».—(*Con burla.*) Será el general Riego de aquella, que viene para llevarla a los toros.

ANICETA «LA MADRID».— ¡Culebrona!

CHIRRINA «LA DE LA CUESTA».—Que calléis. ¿No oís cómo forman?

EVA «LA TEJEDORA».—Y es verdad. Forman.

(*Se van convenciendo del extraño hecho y les empieza a llegar cierto miedo.* MARIANA *y las de arriba, menos* ANICETA, *esperan impacientes. Las de abajo intentan seguir los preparativos desconfiadas; cuando hablan se les ve el acobardamiento.* D.ª FRANCISCA *se pasea tranquila, antes entró a la celda, sacó un vistoso abanico y se hace aire.*)

CARMELA «LA EMPECINADA».—Preparemos la mesa de una vez. Y usted, la del abanico, vamos a la faena. (D.ª FRANCISCA *le hace un desprecio y sigue abanicándose.*) Un tiro que le den a la rica. (D.ª FRANCISCA *vuelve a despreciarla.*)

CHIRRINA «LA DE LA CUESTA».—Mira qué mesa. Llena de los pisotones de aquélla. ¿Y aquí vamos a comer? Trae un trapo que le saque brillo.

CONCEPCIÓN «LA CARATAUNA».—Ahí va.

(CHIRRINA *corrió subiendo la escalera y se tiró al suelo después, espiando.* PAULA *se tiró también al suelo, a espiar.* MARIANA *y* ROSA *están a la expectativa.*)

CHIRRINA «LA DE LA CUESTA».—(*Acentuando el misterio.*) Ha llegado un coche de caballos. He sentido las ruedas del coche y las pisadas de los caballos. Y siento los chirridos de un carro. Presas llegan.

EVA «LA TEJEDORA».—(*Con asombro.*) En un domingo como este...

CARMELA «LA EMPECINADA».—*(Mascullante mientras limpia la mesa.)* Que no paran de detener...

PAULA «LA MILITARA».—*(Mirando a* MARIANA.) Algo más grave pasa. El juicio o la muerte de alguna se adelanta.

ANICETA «LA MADRID».—Cuando los juicios se adelantan, también se adelantan las revoluciones. ¿No es así, Mariana? (MARIANA *no responde.)*

ROSA «LA DEL POLICÍA».—Esto puede ser bueno para todas. Los políticos del rey se ve que temen demasiado. ¿No es así, Mariana? (MARIANA *no contesta.)*

PAULA «LA MILITARA».—Están perdiendo, Mariana, seguro están perdiendo. ¡Si pudiéramos leer aquí la Gaceta! ...

ANICETA «LA MADRID».—Están prohibidos los periódicos en España, ¿o es que no lo sabéis? Las Universidades cerradas. Las cárceles, comisarías y cuarteles con presos de todas raleas, gitanos y castellanos, ¿no es así, Mariana?

MARIANA DE PINEDA.—*(Que ha ido conteniendo sus nervios y al fin estalla.)* ¿Por qué he de saberlo yo? ¿Por qué? Pero, ¿qué prudencia es la vuestra? Acaban de presentar armas y de llegar un coche... *(Susurrante.)* Se puede perder por falta de prudencia. La guerra se hace de muchas maneras, y aun indefensas como estamos se puede hacer la guerra y ganar. Hablar bajo todas... Ha llegado un coche y bien pudiera ser el de Pedrosa...

PAULA «LA MILITARA».—*(Con rencor.)* Quién pudiera echarse a la cara a ese Pedrosa. Si él fuera, qué ocasión...

MARIANA DE PINEDA.—Qué ocasión. Pero no tendré esa suerte...

PAULA «LA MILITARA».—¿Qué vas a hacer?

MARIANA DE PINEDA.—Por si acaso, peinarme... *(A las*

182

*de abajo.*) Y preparar unas ramas de limonero que tengan flor. Podría ser el gran día...

CHIRRINA «LA DE LA CUESTA».—Abren el rastrillo.

ROSA «LA DEL POLICÍA».—Lo oí antes que tú.

CHIRRINA «LA DE LA CUESTA».—Entra alguien...

*(Vemos entrar a una niña gitana, lentamente, con las manos atadas, no le vemos la cara, porque llega avergonzada, mirando al suelo, con el pelo lacio y caído por la mayor parte de la cara. Baja la escalera en un estado de pudor, de miedo, silenciosamente.)*

EVA «LA TEJEDORA».—¿Quién será?

RITA «LA AYUDANTA».—No lo sé.

CONCEPCIÓN «LA CARATAUNA».—*(Enternecida.)* Es una niña...

EVA «LA TEJEDORA».—Con las manos atadas...

CONCEPCIÓN «LA CARATAUNA».—Y descalza...

EVA «LA TEJEDORA».—Es gitana. Y trae los volantes del vestido rotos...

D.ª FRANCISCA «LA APOSTÓLICA».—Y nadie con ella...

RITA «LA AYUDANTA».—*(Mirando las puertas.)* Nadie...

CONCEPCIÓN «LA CARATAUNA».—Parece que tiene sed. Sí. ¿A ver tu cara, niña? ¿A ver? *(La niña no se deja ver.)* ¿Quién eres? ¿Quién te ha traído? ¿Qué has hecho tú? Si eres una niña...

CARMELA «LA EMPECINADA».—¿Te apuntaron el nombre al entrar?

RITA «LA AYUDANTA».—Tiene que ser de las revueltas de Cádiz.

CARMELA «LA EMPECINADA».—O de las revueltas que se están dando cerca del beaterio.

CHIRRINA «LA DE LA CUESTA».—(*Contenta, pero sin dejar el miedo que todas tienen.*) Yo la conozco. Es Rosa. Tú te llamas Rosa. Eres albaicinera. Vives en San Nicolás. Te he visto vender castañuelas y abanicos en la plaza Larga. Ahora... ahora eres bordadora.

CARMELA «LA EMPECINADA».—Aparta, Chirrina. Niña, mírame ¿de dóndes vienes? Ay, si tiene las lágrimas saltadas.

CONCEPCIÓN «LA CARATAUNA».—(*Cogiéndole la barbilla.*) Y es verdad. Hija mía, ¿por qué lloras?

ROSA «LA GITANICA».—(*Con esfuerzo al hablar.*) Yo no sé bordar. ¡No sé bordar!

CONCEPCIÓN «LA CARATAUNA».—Ay, si no puede ni hablar.

CARMELA «LA EMPECINADA».—¿Qué tiene que ver eso para que llores?

ANICETA «LA MADRID».—¿Qué dijo?

CARMELA «LA EMPECINADA».—Que no sabe bordar.

EVA «LA TEJEDORA».—Ay, si tiene la boca seca como una ragua. Traer un cazo con agua.

RITA «LA AYUDANTA».—(*Llevándolo.*) Toma, bebe.

(ROSA «LA GITANICA» *no puede coger el cazo.*)

CONCEPCIÓN «LA CARATAUNA».—Que no puede coger el cazo. Tiene que traer las calenturas. A ver que te tiente la frente y las manos. (*Le coge las manos y se va horrorizando poco a poco.*) Pero si tiene los huesos de las manos rotos. ¡Asesinos!

CARMELA «LA EMPECINADA».—Y es verdad. ¡Es verdad!

(*De las arrecogidas se apodera un pánico colectivo.* ROSA «LA DEL POLICÍA», *sin control y casi enloque-*

*ciendo, estalla, golpeando con las argollas los hierros*
*de las jaulas.)*

ROSA «LA DEL POLICÍA».— ¡Asesinos! Sor Encarnación, ven y abre la puerta de esta jaula. Abre, abre. Trae las manos hechas añicos. ¿Dónde están sus asesinos? ¡Cobardes, inquisidores! Pero, ¿qué hacéis todas sin hablar? Pero, ¿por qué no vienen a curarla? ¿Dónde están los liberales de Granada que tantos reaños tienen? ¿Dónde están los asesinos que la trajeron en la jaula? ¡Asesinos, cobardes!

*(Golpea más y más. Todas las arrecogidas se contagian y golpean puertas y ventanas, gritando «Asesinos». En arrebato de pasión, cantan y danzan.)*

TODAS:

Ay, para Rosa la gitanica se abrieron las puertas de
Llega descalza.                              [Santa María.
Ay, pies que tanto bailaron pisando la tierra.
Y ha dicho que no sabe bordar.
Las manos trae atadas con sogas.
No siente el dolor por el mucho dolor que padece.
Y sigue la tarde de toros en Granada.
Y está dando el sol en los hierros de estas jaulas.
Ay, qué mayo florido.
Ay, qué mal mayo florido.
Ya nunca volverán estas manos a coger hilos de seda.
Albaicinera, ¿qué será ahora de tu vida?
Rosa «La Gitanica» entró al beaterio
con la buena inocencia de sus quince años.
Trae descosidos los volantes de su falda de lunares.
¿Quién descosería los volantes de su falda?
Y al entrar se avergüenza
al ver a las arrecogías de Santa María.
¿Qué dirán los que te vieron como nos ha tocado
                                            [verte?
¡Trae las manos destrozadas! ¡Le quebraron los hue-
*(Acentuando la furia.)*                       [sos!
Morirá el rey Fernando

185

con la maldición de ir viendo su misma pudrición,
con la barriga abierta, viéndose los gusanos
en la cama de su palacio,
y palomas de odio nublarán los cielos,
pero nadie se acordará de las manos de Rosa.
Ay, ya no habrá flor que coja.
Ay, ya no habrá caricia que haga.
Han quedado sus manos deshojadas,
como la adelfa seca en camino sin agua.
(*Danzan con más furia, golpeando al suelo.*)
¡Trágala! ¡Trágala! ¡Trágala!
¡Muriendo y trágala!
¡Inciensos y pétalos de rosa, y trágala!
¡Palacios y conspiraciones, y trágala!
¡Trágala! ¡Trágala! ¡Trágala!

(*En la puerta de entrada al beaterio está* PEDROSA. *Todas quedan como estatuas de odio.* PEDROSA, *alcalde
del crimen de la Real Chancillería de Granada, subdelegado de Policía y Juez de Infidencias de su Real
Majestad, Fernando VII, llega acompañado del escri-
bano de la Real Chancillería, de padres franciscanos,
con largas barbas y caras sombrías, de un piquete de
guardia de la infantería española y de la Reverenda
Madre María de la Trinidad y otras monjas del beaterio. Una monja subió diligente a abrir la puerta de la
celda de arriba. Mientras tanto, la voz de un pregone-
ro sonó entre la mayor expectación:* «Su Ilustrísimo
Señor D. Ramón Pedrosa, Alcalde del Crimen de la
Real Chancillería de Granada, subdelegado de Policía
y Juez de Infidencias de su Real Majestad, el Rey
nuestro señor, Fernando VII.» *Hay un silencio mientras* PEDROSA *baja serenamente las escaleras, mirando
todo.*)

RAMÓN PEDROSA.—(*Con serenidad y contenida ironía
y rencor.*) Preparaban la comida en el patio... Entre
los limoneros. Da gloria oler el azahar de los limoneros...
(*Sigue analizando todo.*) No se está mal aquí. Llega un
aire templado y agradable... Refresca la tarde. Se oye
hasta la música de la plaza de toros... y está dando el

sol en casi todas las celdas... No está mal todavía este palacio. Hay beaterios peores en Castilla... ¿A qué se debe el privilegio de comer en el patio?

LA REVERENDA MADRE.—A las vísperas de Corpus Christi.

RAMÓN PEDROSA.—*(Viendo a D.ª FRANCISCA «LA APOSTÓLICA» y haciéndole un saludo.)* D.ª Francisca...

D.ª FRANCISCA «LA APOSTÓLICA».—*(Abanicándose gentil y correspondiendo.)* Ilustrísima...

*(Las arrecogidas se miran entre ellas, discretamente.)*

RAMÓN PEDROSA.—*(Fisgoneando la celda de D.ª FRANCISCA.)* Buena celda. No le falta de nada.

D.ª FRANCISCA «LA APOSTÓLICA».—*(Abanicándose satisfecha.)* De nada.

RAMÓN PEDROSA.—No olvidaré nunca los salones de su palacio, siempre abiertos a los forasteros. Qué amable hospitalidad ésta de los granadinos.

D.ª FRANCISCA «LA APOSTÓLICA».—Gracias, Ilustrísima.

RAMÓN PEDROSA.—Abiertos y hospitalarios como los de D.ª Mariana de Pineda. Desde que llegué a Granada la hospitalidad más generosa se me fue ofreciendo. Pero por aquí baja D.ª Mariana de Pineda, mi amiga. (CARMELA «LA EMPECINADA» *le da a* MARIANA *una rama en flor de limonero.)* ¿Qué le da?

MARIANA DE PINEDA.—*(Con gran serenidad.)* Una rama en flor de limonero. *(Se la pone en el pelo.)* Yo tampoco puedo olvidar que hoy son vísperas de Corpus Christi, que es domingo, que es mayo... Me preparaba para la temprana cena de... las presas.

RAMÓN PEDROSA.—Mi gran amiga Mariana de Pineda, mi gran señora. Al volverla a ver recuerdo aquella tarde que la vi en su casa. Inolvidable tarde. D.ª Mariana fue la primera, en Granada, que me abrió los salones de su casa.

MARIANA DE PINEDA.—Es difícil de olvidar la generosidad ajena.

RAMÓN PEDROSA.—Sigue tan hermosa, D.ª Mariana.

MARIANA DE PINEDA.—Gracias, Ilustrísima.

RAMÓN PEDROSA.—Ahora su belleza ha tomado un aspecto más dulce y más profundo. Y está más serena. Los días en el beaterio de Santa María han tenido que hacerle reflexionar mucho. Sé que ha leído a San Pablo y otros libros piadosos que le habrán llevado a largas meditaciones.

MARIANA DE PINEDA.—Siempre fueron largas y hasta torturantes mis meditaciones, dentro y fuera del beaterio. Granada es tierra ideal para pensar... Y nuestra situación actual, mucho más.

RAMÓN PEDROSA.—¿Y ha llegado a nuevas conclusiones fuera de esas que nos llegan de Francia y que algunos llaman «progresistas»? ¿La existencia humana ha de tener abismos y secretos más nobles que los que nos enseña la famosa «ilustración» francesa?

MARIANA DE PINEDA.—Nunca fueron mis favoritos ni Rousseau ni Voltaire. No comprendo la «pasión» que está de moda, creo que conduce a la existencia a una grave crisis espiritual. Con la pasión se olvida la realidad. Lástima que en un momento tan crítico como éste, no pueda recapacitar y hacer memoria para poder expresar a su Ilustrísima mis nuevas ideas de la existencia humana.

RAMÓN PEDROSA.—(Dejando escapar una escondida inquietud.) ¿Quiere la señora que pasemos a la capilla y me explique sus nuevas ideas?

MARIANA DE PINEDA.—¿Cree don Ramón Pedrosa que en un momento se puede hacer resumen de un cambio profundo?

188

RAMÓN PEDROSA.—Quizá dentro de la capilla sea el lugar adecuado para un recogimiento sincero. (MARIANA *lo mira de arriba a abajo.*) Pero si la señora piensa que un humilde juez como yo, no es digno de escucharla, puede hacerle sus confesiones a algún reverendo padre de los que vienen conmigo.

MARIANA DE PINEDA.—¿Y por qué no intentar hablar delante de este auditorio que tanto desea oír?

RAMÓN PEDROSA.—¿La intimidad puede expresarse así?

MARIANA DE PINEDA.—La intimidad con los míos, o delante de los míos, es más consoladora para mí.

RAMÓN PEDROSA.—¿Los suyos? Muy segura está la señora de que aquí están los suyos.

MARIANA DE PINEDA.—¿Acaso don Ramón Pedrosa piensa que no están? (*Se va acercando a él con odio contenido.*) Aquí y en cualquier esquina de Granada están los míos.

RAMÓN PEDROSA.—Muy segura está.

MARIANA DE PINEDA.—Muy segura.

RAMÓN PEDROSA.—¿Acaso han sido éstas las conclusiones a que le han llevado las largas meditaciones?

MARIANA DE PINEDA.—Mis meditaciones han ido más lejos.

RAMÓN PEDROSA.—Qué interesante.

MARIANA DE PINEDA.—Siempre interesaron mis palabras a su Ilustrísima. Tan gentil siempre. Qué pena de encontrarlo donde no soy la dueña. ¿Qué pasó de mi casa de la calle del Águila? ¿De mis muebles, de los salones donde fue recibido su Ilustrísima la primera tarde que pasó en Granada? Mi abogado, ese pobre abogado de oficio que me nombraron, no me da norte ni guía... ¿Qué pasó de mis hijos? ¿Ha llegado a oídos de su Ilustrísima si me llaman al menos de noche, para pedirme que les alargue la mano antes de quedarse dormidos?

RAMÓN PEDROSA.—Todo está seguro. Sólo que a su casa llegan, de vez en cuando, amigos, parece ser de Cádiz... tal vez de Gibraltar... tal vez de Bayona, porque alguno habla un cierto español matizado de francés, y claro, quedan desconcertados... Pero le aseguro a doña Mariana que todo pasará pronto y que felizmente podrá volver a su casa.

MARIANA DE PINEDA.—(*Repitiendo con cierto presentimiento inseguro.*) Felizmente...

RAMÓN PEDROSA.—Todo marcha bien. Por doña Mariana de Pineda se interesa todo lo mejor de Granada. Y hasta en las Cortes se habla de su notorio caso.

MARIANA DE PINEDA.—¿Y... noticias del rey?

RAMÓN PEDROSA.—Pronto las habrá. El panorama nacional se está pacificando más de lo que se supone. Granada es una ciudad lejana donde los correos tardan en llegar y nos enteramos, por esta razón, los últimos de lo que pasa en el país. El granadino es preocupado por naturaleza y ve montes donde no existen. Pero todo se tranquiliza. Ya sabrá doña Mariana que desde la muerte de Manzanares en las serranías de Ronda, Andalucía ha quedado muy tranquila. Sólo hay un foco de rebeldes en Gibraltar, capitaneados por el general Torrijos y otro pequeño foco, clandestino, claro, para el rey de Francia, en Bayona. Foco de ilusos, ¿qué pueden hacer unos pocos hombres tan solos y tan «románticos», como se los viene llamando ahora? El pueblo de Granada está con el rey. ¿No oye la música de los toros? La plaza está abarrotada. Pronto se oirá desde aquí la alegría de la salida de la gente.

MARIANA DE PINEDA.—Pero... su Ilustrísima no fue a la corrida y tengo entendido que es muy amante de las corridas de toros.

RAMÓN PEDROSA.—Sí, es cierto. Pero uno no es dueño de sí mismo. Cuánto siento haber perdido esta corrida. La lidian matadores de la escuela rondeña, sin embargo, la perdí, cuánto lo he sentido.

MARIANA DE PINEDA.—¿Y... fue la causa?

RAMÓN PEDROSA.—Esa gitanilla que ve aquí.

MARIANA DE PINEDA.—(*Fría, tranquila.*) Tan niña... Apenas tendrá quince años.

RAMÓN PEDROSA.—Apenas. Los gitanos no se dan ni cuenta de los años que tienen. Pasan la vida bailando y cantando y, tal vez, soñando.

MARIANA DE PINEDA.—¿Y no es bonito soñar en nuestra época?

RAMÓN PEDROSA.—Muy bonito. Los granadinos son muy soñadores. Todo en ellos es motivo de dulzura y ensueño. Mi señora doña Mariana, soñando tal vez se puso esa rama de limonero en flor entre el pelo.

MARIANA DE PINEDA.—Sí, soñando siempre. Hasta la muerte es preferible recibirla soñando, como sueñan en Granada las fuentes, el agua, los mirtos, las palomas, los atardeceres... Granada nos hizo ser así, soñadores. ¿Y por esta gitanilla su Ilustrísima no fue a los toros? (*Se acerca a* ROSA.) Pobrecilla. Está casi temblando. (*Mira a* PEDROSA.) Creo que con las manos no podrá ya, nunca más, secarse ni el sudor de la frente.

RAMÓN PEDROSA.—Puede.

MARIANA DE PINEDA.—(*Fingiendo serenidad.*) ¿Qué le ocurrió, Ilustrísima?

RAMÓN PEDROSA.—¿No la conoce?

MARIANA DE PINEDA.—Jamás la vi.

RAMÓN PEDROSA.—¿Ni tú, preciosa niña, viste a esta señora nunca?

(ROSA «LA GITANICA» *dice que no con la cabeza.*)

MARIANA DE PINEDA.—Si su Ilustrísima piensa hacer muchas preguntas, me temo que la niña no pueda responder, porque trae fiebre y está agotada. ¿Dónde martirizan a estas inocentes víctimas?

RAMÓN PEDROSA.—Nada importan las víctimas, sólo importa mantener unida la fe, bajo el mandato del rey, Nuestro Señor, quien sabe velar día y noche por sostenerla.

MARIANA DE PINEDA.—¿Acaso ella no tiene esa fe de la que su Ilustrísima habla?

RAMÓN PEDROSA.—No la tiene.

MARIANA DE PINEDA.—¿Y de qué delito se le acusa? ¿Las leyes del reino autorizan a dejar inútil a un ser menor de edad?

RAMÓN PEDROSA.—Ha cometido uno de los peores delitos: ha intentado bordar esta bandera:

(*Un padre franciscano le da a* PEDROSA *la bandera, quien la muestra a* MARIANA.)

MARIANA DE PINEDA.—Es preciosa. Qué finura de letras. ¿Es acaso la bandera de uno de esos focos revolucionarios? Esas banderas siempre descubiertas y nunca enarboladas.

RAMÓN PEDROSA.—¿No conoce la señora esta tela?

MARIANA DE PINEDA.—No, ¿por qué iba a conocerla? No sé ni qué tejido pueda ser.

RAMÓN PEDROSA.—¿Ni las bordaduras?

MARIANA DE PINEDA.—No soy aficionada a bordar. No he visto jamás una prenda revolucionaria tan cuidada como ésta. Creo que para la revolución no hace falta más que hombres y armas. Cualquier trapo sirve de bandera. Qué modo de perder el tiempo bordando esta tela, ¿no cree su Ilustrísima?

RAMÓN PEDROSA.—¿Aunque la bandera se borde por amor?

MARIANA DE PINEDA.—¿Por amor, a quién? ¿Puede especificar su Ilustrísima?

RAMÓN PEDROSA.—Tal vez por amor a algún hombre.

MARIANA DE PINEDA.—Es muy poco el amor de un hombre para bordar una bandera con tanto primor. Creo que debe haber más altos destinos que el amor de un hombre para bordar con tanto arte y más, siendo la bandera que, según su Ilustrísima, está destinada a la revolución. (*Intentando cambiar el tema y dirigiéndose a la* REVERENDA MADRE.) Pero, Reverenda Madre, esta niña está grave. Esta niña no puede quedar en este estado, mientras oye las amables conversaciones de su Ilustrísima conmigo [e].

RAMÓN PEDROSA.—Todo llegará. Veo que no se conocen. Que va a ser imposible que se conozcan.

MARIANA DE PINEDA.—¿Por qué iba a conocerla yo?

RAMÓN PEDROSA.—¿Acaso no fue ésta la bandera que se encontró en su casa?

MARIANA DE PINEDA.—Puede. Creo que me detuvieron por esta causa, pero, ante tanto sobresalto, yo no sé ni cómo es el color de aquel trapo.

RAMÓN PEDROSA.—(*Dejando asomar su rencor.*) Rosa Heredia, oye mis palabras: (ROSA «LA GITANICA» *queda inmóvil.*) Todavía puedes salir de aquí, si dices que esta mujer, llamada Mariana de Pineda, subió a tu casa del Albaicín y te dio a bordar esta bandera.

(*Silencio.*)

ROSA «LA GITANICA».—(*Levantando poco a poco la cabeza.*) No... conozco... a esta señora.

(*Rumor de todas las arrecogidas.*)

---

[e] «No es ley de Dios, que es la más importante de las leyes.»

RAMÓN PEDROSA.—Llegarás a conocerla. Tendrás que conocerla al fin.

(*Silencio.*)

ROSA «LA GITANICA».—(*Con mucha humildad.*) No conozco a esta señora. Y yo nunca aprendí a bordar.
(*Sufre ahora un leve temblor que le hace sentir miedo y corre hacia* SOR ENCARNACIÓN, *suplicante.*)
No aprendí a bordar. Las monjas de Santa María la Real lo saben. Pueden preguntarles. Quisieron enseñarme, pero no aprendí. Yo sólo sé bailar, y por las mañanas salgo a vender a la plaza. Pero yo no sé bordar. No sé. Por los clavitos del Señor, que me duelen mucho las manos. ¡Mis manos! ¡Mis manecicas!

(ROSA «LA DEL POLICÍA» *intenta estallar, pero* ANICETA «LA MADRID» *le tapa la boca.*)

RAMÓN PEDROSA.—(*Exaltándose, pero al mismo tiempo conteniéndose como puede.*) Tus manos, además de bordar la bandera, te sirvieron para acariciar al que ya no verás más.

MARIANA DE PINEDA.—(*Que va exaltándose también.*) ¿Se puede saber quién?

RAMÓN PEDROSA.—(*Aparentando tranquilidad e ironía.*) Mucho se interesa la señora.

MARIANA DE PINEDA.—Mucho. (*Haciéndole frente con bastante frialdad.*) Soy liberal.

RAMÓN PEDROSA.—¿Y supone que las últimas caricias fueron para un liberal?

MARIANA DE PINEDA.—Lo supongo. Si no, no estaría aquí, inútil como la han dejado.

RAMÓN PEDROSA.—¿Y para qué quiere saber la señora el nombre?

MARIANA DE PINEDA.—Para admirarlo y bendecirlo.

RAMÓN PEDROSA.—Pues que muera sin las bendiciones de la señora. Que muera condenado en los infiernos. Sólo le diré... (*Levanta la cabeza con orgullo.*) Les diré a todas que esta niña es la amante de un joven a quien Dios tenía destinado por los caminos de la iglesia. Un joven que aborreció el sacerdocio para hacerse amante de esta gitana. La ley es justa. Y esta niña entra a este beaterio como una recogida más. Las madres de Santa María Egipciaca le enseñarán el camino de la humildad y de la corrección.

MARIANA DE PINEDA.—¿El camino de la corrección, cuando lo que llama su Ilustrísima «justicia» la ha dejado inútil para siempre? ¿Qué corrección le puede enseñar ya a esta niña un gobierno absolutista y dictatorial que la ha dejado inútil para siempre? Será la corrección de saber odiar al rey.

ROSA «LA DEL POLICÍA».— ¡Muera el rey!

MARIANA DE PINEDA.— ¡Silencio! Todo el mundo tiene que guardar silencio. A ningún camino se llega con la violencia. El gobierno liberal de España, que desgraciadamente se tiene que ir formando en el extranjero, regirá con amor, con bondad, con humanidad y con comprensión. ¿En qué nos diferenciaríamos entonces los que juramos y somos fieles a la Constitución del doce de aquellos cuyos poderes son la violencia y la sangre, el callar a la fuerza, el sometimiento injusto?

RAMÓN PEDROSA.—El señor secretario tome nota de estas palabras.

MARIANA DE PINEDA.—Palabras que serán leídas no solo públicamente en la Audiencia Territorial de Granada, sino también en las Cortes Españolas, si es que hay hombres y justicia.

RAMÓN PEDROSA.—Ha venido a ti un súbdito del rey con la mayor de las prudencias.

MARIANA DE PINEDA.—Y con la mayor de las prudencias intenté responder, pero a la vista de unos hechos asesinos, como son las manos de esta niña, no tengo más remedio que exaltarme. Claman los cielos. Pero entérate bien, Pedrosa; te he de llevar a declarar que esta bandera fue introducida en mi casa por tu misma policía. No tienes datos para atestiguar lo contrario. Me lo dijiste. *(Mirando hacia arriba, desafiante, a* ROSA «LA DEL POLICÍA»)... Sí, Rosa, me lo dijo una noche que yo le abrí el dormitorio de mi casa y cerré después los postigos del balcón que tú veías cerrar. ¿Sabes por qué lo hice? Para salvar a los míos. Y por darle la libertad a los demás, no se puede condenar a nadie. Pero jamás este hombre puso las manos en mi cuerpo, jamás. Sólo ha sabido de mis desprecios porque llegué a descubrirlo sin que lograra nada mío.

RAMÓN PEDROSA.—Tú estabas descubierta muchos años antes.

MARIANA DE PINEDA.—Nunca negué mi amor por la libertad. Me casé con un hombre que quiso ser libre. Fui la mujer de un campesino. En este pedazo de tela a medio bordar juraría que se concentran los ideales y sueños de más de media España, es la bandera liberadora. El sueño de muchos que esta niña ha pagado con sus manos.

RAMÓN PEDROSA.—Y que tú pagarás con tu condena.

MARIANA DE PINEDA.—Mucho cuidado con esa condena. Hablaré lo que tengo que hablar en la sala de la Audiencia.

RAMÓN PEDROSA.—Hay quien puede juzgarte sin tu asistencia a la sala.

MARIANA DE PINEDA.—No serás tú ni el rey. *(Acercándosele con odio.)* Piensa que alguno de estos soldados que te guardan, puede clavar el machete de su fusil en tu cuerpo. Piensa que estas mismas monjas pueden ser tus peores enemigas. Piensa que al dictar mi sentencia, pueden, en esos momentos, traspasarte el corazón. Ni tú ni el rey estáis seguros. Estáis enloqueciendo de terror en esta época criminal. Tenéis enemigos por todas partes. Al salir por esta puerta, pueden asesinarte. Granada entera está conmigo y con estas arrecogías que no las dejáis defenderse en públicos juicios. Pero entérate bien, me puse esta rama en flor pensando en tu muerte. (*Arrojándosela.*) Toma la única flor que echarán a tu tumba. Sé que faltan pocos días para que salga mi juicio. Allí nos veremos, Ramón Pedrosa. Y cuidado con usar tus regios poderes de juez de infidencias. Mi juicio no puede resolverse secreto. Son muchos los que lo esperan. Y tengo fuerzas y poder para llevarlo no sólo a esas Cortes traicioneras y engañosas, sino ante los reyes de Europa.

RAMÓN PEDROSA.—Llévalo, pero con los nombres que preparan contigo la descubierta conspiración. ¿Cuáles son esos nombres?

MARIANA DE PINEDA.—Los que te asesinarán. Los que después de asesinarte darán la libertad a España. Ni en una sala inquisitorial me arrancarán los nombres. Ellos son mi orgullo. Mi orgullo de hembra granadina, que no ha llegado a perder la batalla que libra.

RAMÓN PEDROSA.—(*Haciéndole una arrogante reverencia.*) Nos veremos pronto, doña Mariana.

MARIANA DE PINEDA.—Así lo espero... Pedrosa.

RAMÓN PEDROSA.—(*Aparentando tranquilidad.*) Y...

(*Cogiendo la rama.*) me llevo tu rama en flor...

(*Recogen la bandera y sale* RAMÓN PEDROSA *con los demás que entró. Las arrecogidas han quedado en grave silencio, mientras ven salir a* PEDROSA. CARMELA «LA EMPECINADA» *siguió, casi en secreto, a la comitiva que sale. Hasta cerciorarse bien de que salieron. Entonces, dice, dejando escapar sus nervios, mientras se apodera de todas un gran nerviosismo.*)

CARMELA «LA EMPECINADA».—Hasta salieron a las puertas a hacerle reverencia.

CHIRRINA «LA DE LA CUESTA».—¿Qué te parece? Condenadas sean todas las que comen las migajas del rey y de los ricos. Qué mendrugo de pan más mal comido. No lo quisiera para mí.

ANICETA «LA MADRID».—Tanto inclinar la raspa [26] para decirle adiós al inútil político que se lo tienen que comer los gusanos [e]. (Exaltándose cada vez más.) Pero lo acribillarán a balazos en una calle y nadie cogerá su cuerpo [e].

CARMELA «LA EMPECINADA».— ¡Calla la boca! Hay que ver qué vieja. (Volviéndose a todas.) Ea, no tenemos reaños ni moños en la cabeza si nosotras mismas no le pegamos un tiro a ese tío y si consentimos que las monjas de Santa María nos den el caldo. Mirad qué manos llenas de callos, para echarse solas el caldo. Aquí en el suelo hago una cruz. Mirarla. (La hace y escupe.) No consentiré que las manos de esas mujeres cojan mi plato, porque vieron las manos destrozadas de esta niña y se van y siguen haciendo reverencias.

CHIRRINA «LA DE LA CUESTA».—(Saltando como una furia.) Yo también hago lo que tú. (Lo hace.) La victoria es nuestra. Si no había más que verle la cara a Pedrosa para comprender el miedo que tenía. Tiene que vivir aterrorizado de miedo, como ha dicho (con burla) «la señora» doña Mariana. Juraría que hasta los centinelas que nos rondan son de los nuestros.

RITA «LA AYUDANTA».—Y qué guapos son. Qué manos tan grandes tienen. Tienen que ser albaicineros.

ANICETA «LA MADRID».—(En el nerviosismo de las demás, coge del escote a PAULA «LA MILITARA».) Ésta lo tiene que saber. Dinos si entre el piquete venía tu Fermín Gavilán.

---

[26] inclinar la raspa: figurado y familiar, hacer reverencias.

[e] «Pero yo se bien el secreto de ése. De la nada llegó a político traidor. Mucho ha andado ése sin carroza por las calles de Madrid, con el traje roto y pidiendo limosna.»

[e] «Porque ya no somos ni cristianos.»

PAULA «LA MILITARA».—(Con asco.) Si hubiera venido entre el piquete, a voces lo hubiera dicho para que se avergonzara, descubriendo lo que es. ¿No me ves todavía que estoy temblando porque no atiné a coger ni los hierros de la jaula, porque entre el piquete parecía que lo veía? Y he creído desmayarme. Y no era ninguno de ellos. No era. No era. No era.

ANICETA «LA MADRID».—¿Habéis oído? No hay que tener miedo. No puede haber conspiración en contra. Que por muy secretas que hagan las cosas los políticos, siempre se les ve venir y se descubren. Los centinelas son nuestros.

CARMELA «LA EMPECINADA».—(A MARIANA.) ¿Y tú crees eso?

D.ª FRANCISCA «LA APOSTÓLICA».—Dejarla. Ha dicho lo que tenía que decir. No sabéis tratar. Dejarla.

CARMELA «LA EMPECINADA».—¿No os lo decía? ¿Veis cómo entre ellas se defienden? (Burlándose.) ¿No visteis cómo doña Francisca, la de los juramentos, se saludó con Pedrosa?

CHIRRINA «LA DE LA CUESTA».—¿Y cómo meneaba el abanico, haciéndose aire? Qué buenas colas de pavos reales ha tenido que mover esta rica de tres al cuarto.

CARMELA «LA EMPECINADA».—No, si ésta está aquí de fiesta. (En un arranque se acerca a ella y le dice entre dientes.) Pero oye, si esto es así, me llevo tu corazón, entre los dientes que me ves.

(D.ª FRANCISCA le vuelve la espalda y se encierra en su celda, abanicándose con empaque.)

CARMELA «LA EMPECINADA».—(Yendo a la puerta de la celda de D.ª FRANCISCA.) ¿Me oyes, lechuza, con esa nariz ganchúa que tienes y esas colonias que te echas? Te voy a vigilar día y noche. (Dirigiéndose en el mismo estado a MARIANA.) Y a ti, la discursera, pico de oro, pico de cura en púlpito, y cómo sabes callarte las mejores.

MARIANA DE PINEDA.—(*Que estuvo oyéndolas sufriendo, dice sin poderse contener.*) Las manos de esta niña.

CARMELA «LA EMPECINADA».—(*Enfrentándosele rápidamente.*) Puede que esta niña sea una víctima tuya.

CHIRRINA «LA DE LA CUESTA».—(*Acosándola también.*) Puede que tú la mandaras bordar la bandera.

CONCEPCIÓN «LA CARATAUNA».—(*Acosándola.*) Puede que haya fingido no conocerte.

CARMELA «LA EMPECINADA.—(*En el mismo acosamiento.*) Todas sabemos que tienes influencias por todas partes, tú misma lo has dicho, y que eres mujer que puede hacer temblar de miedo a un rey porque sabes los secretos de muchos, que serán altos políticos, pero si tus influencias te van a servir para que te salves tú sola, deja de acordarte de las manos de esta gitana. No las toques siquiera, que estas manos son nuestras, como si hubieran sido nuestras propias manos, y nosotras solas queremos curarla.

CHIRRINA «LA DE LA CUESTA».—(*Que sigue en el acosamiento.*) De ti no nos hemos fiado desde que te vimos entrar por esa puerta, con ese vestido de encaje y esa cara afilada, descolorida y de mártir. Ya no estamos en tiempos de creer en las mártires. La gente no quiere más que salvarse a sí misma.

(MARIANA, *desafiándolas a la vez, como la que quiere confundirles, sin dejar de mirarlas, se desgarra un trozo del vestido.*)

MARIANA DE PINEDA.—Que este trozo de mi vestido sea la primera venda para curar las manos de esta niña. Me dais lástima. Que tanto desconfiar unas de otras, nos va a llevar a la ruina y se van a acabar los liberales por tanta desconfianza. Los españoles no sabemos más que destruirnos vivos. Imposible nuestra liberación. (*Imponiéndose a todas.*) Quien quiera, desde ahora, haga lo que yo [e]. No sé si algunas de las que aquí estamos, nos

___

[e] «Con su vestido.»

salvaremos o no. *(Se enfrenta de nuevo a «LA EMPECI-NADA» y a las más rebeldes.)* Los políticos no saben perder, como estamos perdiendo, que el hecho de estar aquí, ya supone perdición.

CARMELA «LA EMPECINADA».— ¡Tú no has perdido!

MARIANA DE PINEDA.— ¡Escucharme bien! Si han de colgarnos en las Explanadas del Triunfo por arrecogías y no porque luchamos por unas ideas [e], que nos vean las ropas así, y se digan: «Ahí las tenéis, ahorcadas con las ropas jironadas por las manos de tantos hombres como las tuvieron.» Sí. De tantos hombres como hemos querido y queremos. Los que luchan escondidos, los de Ronda y Gibraltar [e]. *(Arrebatadamente coge a ROSA «LA GITANICA».)* ¿Fuiste tú, hija mía, la que bordaste la bandera?

ROSA «LA GITANICA».—*(Casi desfalleciendo, mientras sonríe.)* Yo... sólo tuve el pedazo de trapo cogido en mis manos para acariciarlo, como tantos lo tuvieron...

MARIANA DE PINEDA.—*(Abrazándola.)* Benditas sean tus manos que cogieron el trapo. *(En el mayor arranque de rebelión.)* Ea, ¡otro jirón de mi ropa! ¡Y otro! ¡Y otro! ¡Y otro!

ROSA «LA DEL POLICÍA».—*(Sin poderse contener y alzando los brazos encadenados.)* ¿No hay quien quite las argollas de estas manos para dar otro pedazo de vestido?

*(EVA «LA TEJEDORA» y CONCEPCIÓN «LA CARATAU-NA» son las primeras en desgarrarse el vestido; las secundan las demás, diciendo con furia «y otro», «y otro». En estos momentos, todas cantan, al mismo tiempo que inician una danza, la cual se va haciendo violenta, mientras MARIANA venda las manos de ROSA «LA GITANICA».)*

---

[e] «Como intentan hacer creer.»
[e] «Pero nuestros pedazos de ropa fueron para remediar un dolor.»

TODAS.—*(En profunda rebelión.)*

No hay patíbulo capaz de levantarse en ninguna tie-
                                                [rra española
para cortar los vuelos de las arrecogías,
porque hasta la tierra pudrirá las maderas
de los patíbulos que se levanten.
Los capitanes generales de los cuarteles de España
clamarán los primeros
por libertar a las mujeres de estos beaterios.
A las tropas las están acuartelando
y cada soldado sueña con vernos en las calles,
mientras saca brillos al cañón de su fusil.

*(Entre todas cogen a* ROSA «LA GITANICA» *y la alzan
mientras siguen cantando y danzando.* MARIANA *se
arrincona y sueña, con la mirada perdida.)*

No se paga este sudor que tenemos con nada de este
Olemos ya a pudrición,                          [mundo.
de dormir en los jergones de nuestras caballerizas,
donde nos pasamos las noches en velas y sigilos.
Y el aire callado de las noches granadinas
nos trae secretos lamentos de mucha gente que suspira.
Preguntamos al aire en las noches calladas,
y el aire nos descubre todos los secretos.
Así de alerta son nuestros cuidados.

*(Con mayor furia.)*

Aquí tenéis a Rosa «La Gitanica» con los ojos encan-
                                                [dilados.
¿Será el estado de sus ojos el comienzo de la muerte?
Pero Rosa «La Gitanica» sonríe,
que así es como sabemos morir, sonriendo.
Poco podremos haber remediado su dolor,
pero Rosa sonríe.
Cuidaremos sus manos
por si todavía pueden llegar a alzarse y bailar.
Que tiene que llegar el día
que se baile con la misma libertad que tiene el viento.

*(Con gran cariño, van dejando a* ROSA «LA GITANI-
CA» *junto a la pared de una celda. Ésta, a duras penas
se sostiene, pero sobreponiéndose mientras sonríe, va,
muy lentamente alzando los brazos e intenta bailar.
Las arrecogidas empiezan a jalearla, primero bajito y
con un deseo de infundirle alegría y vida.* CARMELA
«LA EMPECINADA» *le lanza un «olé» arrancado del alma.* MARIANA *empieza a cantarle bajito, entre la admi-
ración de las demás, mientras la niña, intenta seguir
bailando.)*

MARIANA DE PINEDA:

> Ay, el que tanto me gustaba
> no abrió la cancelica
> donde me custodiaban.
> ¿Cómo es posible, compadre,
> que sepas que estoy aquí,
> y queriéndote, como te quise,
> me estés dejando morir?

*(Se inicia un palmoterío de todas y* CHIRRINA «LA DE
LA CUESTA» *sale a bailar y a cantar, con mucha alegría, tocándose las palmas y queriendo contagiar de
esta alegría a todas.)*

CHIRRINA «LA DE LA CUESTA»:

> El sereno de esta calle
> me quiere trincar mi llave,
> que alza que toma
> que toma que dale.
> Y esta noche me lo espero
> para que no se me escape,
> con facas y con revólver
> de entre mi escote y mi traje,
> que alza que toma
> que toma que dale,
> porque custodio la llave
> de las arrecogías,
> y las mujeres valientes,

sé que están dentro metías.
Que toma, sereno,
que toma el pañuelo,
que no te lo doy,
porque sí, porque quiero,
que éstas de Santa María,
te tendrán en desvelo
sin que descanses ni noche ni día.

(*La alegría se contagió y todas palmotean. De pronto, al mismo compás, golpean, taconeando. Todas las luces del teatro se encienden. Palmotean y taconean con violencia, desafiando al público. De esta manera, se adelanta a cantar y a bailar* MARIANA, *con el aire de una campesina en derrota, ante la sorpresa de las demás. Todas la jalean, teniéndola ya por muy de ellas. Los «olés» se escapan por todas partes.* LOLILLA *y las costureras así como los demás actores que estaban entre el público, se levantan interrumpiendo a la gente, para salir a los pasillos a cantar y a bailar, convirtiéndose todo el teatro en una gran fiesta, al mismo tiempo que tiran flores.* MARIANA *provoca al público, cantando y bailando, mientras* CARMELA «LA EMPECINADA» *la jalea diciéndole:* «Anda ahí, la mujer del campesino.»)

MARIANA DE PINEDA:

Las pisás de los caballos,
ya se escuchan por la sierra.

(*Todos los actores, los de fuera del escenario y dentro, cantando.*)

TODOS:

con el vito, vito vienen,
vienen pisando la tierra.

MARIANA DE PINEDA:

>   Madre mía qué caballos,
>   qué pisadas, con qué fuerza,
>   qué herraduras les pusieron.
>   Vienen pidiendo la guerra.

TODOS:

>   ¡Vienen pidiendo la guerra!

MARIANA DE PINEDA:

>   Ya están cerca de Granada
>   los de la Ronda la llana.

TODOS:

>   Con el vito, vito, vito,
>   con el vito, y con qué ganas.
>   Ya están aquí los caballos
>   de los hombres liberales,
>   sudando, con tierra encima,
>   sedientos, y qué cabales.

MARIANA DE PINEDA:

>   En las Explanás del Triunfo
>   se pararon en las puertas.

TODOS:

>   Con el vito, vito, vito,
>   con el vito de la guerra.

MARIANA DE PINEDA:

>   Madre mía, qué arrogancia
>   traen caballos y traen hombres,

TODOS:

>   con el vito, vito, vito,
>   con el vito de sus nombres.

MARIANA DE PINEDA:

> Nadie arrancará los nombres
> de estas lenguas que tenemos,
> porque nos enamoraron
> y por ellos padecemos.

TODOS:

> ¡Y por ellos padecemos!

MARIANA DE PINEDA:

> Porque el nombre de estos hombres,
> desde Gibraltar a Ronda,
> desde Bayona a Granada,
> son gloria, fama y honra.

TODOS:

*(MARIANA va bajando las cuestas para salmodiar con furia.)*

MARIANA DE PINEDA:

> Son los nombres de don nadie,
> los que saben pelear,
> a escondidas y en secreto
> y los que saben cantar
> aunque arrinconados mueran
> por el llano, por la sierra o por el mar.

TODOS:

> Por el llano, por la sierra o por el mar.

*(En estos momentos, las arrecogidas de las celdas de abajo se adelantan, junto a MARIANA, para salmodiar con la misma furia, mientras va bajando las cuestas y llegando a los pasillos del teatro, al mismo tiempo que se descuelgan del techo del teatro simulaciones de barrotes de rejas de cárcel.)*

TODAS.—*(Señalando al público.)*

Nadie arrancará sus nombres
de estas lenguas que tenemos,
que son tuyos
¡y tuyos!, ¡tuyos!, ¡tuyos!,
y las lenguas son de una.
¡Aquí! ¡Aquí! ¡Aquí!
¡Dentro del pecho los guardamos!
¡Y tú! ¡Y tú! ¡Y tú!

*(Suena una guitarra, sube la simulación de los barrotes que cayeron del techo de la sala. Todo se dulcifica. Las arrecogidas se vuelven a la misma vez, todas hacia el escenario, bailando al son de la guitarra, vueltas de espaldas al público; cuando llegan al escenario, cantan serenas y con encanto.)*

TODAS:

¡Ay, huertecicas floridas
de las orillas del río Genil,
mandad airecicos
fresquitos,
a los españolitos
de por ahí,
porque todos queremos vivir.

*(Van cayendo las tapias del beaterio de Santa María Egipciaca. En estos momentos salen los músicos, tocando con muchísima alegría las canciones de la obra, bajando por el pasillo de butacas. Un letrero que cae, dice:)*

«HA TERMINADO LA PRIMERA PARTE DE ESTA HISTORIA»

## SEGUNDA PARTE

*(Los músicos van entrando por el patio de butacas.
Volviendo a tocar, felizmente, las canciones de la obra,
saludando al público, quitándose los sombreros para
saludar; otras veces saludan con las manos y, así, suben al escenario. En estos momentos vemos bajar un
cartel, delante de las tapias del beaterio que dice:*

«Tienda de Modas de Madam Lolilla la del Realejo.»

*En la parte de la derecha del espectador y junto a las
calles, baja un telón que simula la tienda de LOLILLA,
con maniquíes de muñecas, muy alegres. Estos maniquíes tienen puestos vestidos de moda napoleónica, con
aire muy francés, con muchos colorines, pelucas versallescas, etc. Las costureras de LOLILLA están hartándose de reír con los músicos, palmoteándoles y saludándoles. LOLILLA tiene puesto, a modo de prueba,
un vestido grotesco de gusto francés. En la cabeza lleva un enorme pelucón versallesco. LOLILLA se finge
maniquí. La vemos reírse de sí misma, palmotear y
salir a bailar y cantar. Las costureras la jalean.)*

LOLILLA:

No llamarme Carmela,
ni Paquita, ni Pilar,
ni tampoco me llaméis
lo que me queráis llamar,
que siendo granadina

y no aragonesa,
deseo que me llaméis
la francesa.

*(La jalean y sigue bailando, después canta.)*

Quisiera ser la novia
de rey de Francia,
para decirle al oído
las cositas que aquí pasan.

*(La vuelven a jalear y ella se jalea.)*

Que ni pasan en Cádiz,
ni en la Corte, ni en Sevilla.
¿Quiere usted callar,
don Nicolás?
Mire usted qué maravilla,
qué gloria y qué esplendor.
Nada, nadita pasa
en las tierras del Sol.

*(Sigue el jaleamiento.)*

Que no tenemos faroles,
porque nos sobra luz,
sí, «monsiur».
Que las fiestas en Granada
empezaron ya.
¿Qué quiere usted?
¿No las oye sonar?
Así somos, «monsiur»,
cantamos, bebemos, bailamos
y olvidamos.

*(Sigue el baile y el palmoterío. LOLILLA, sin dejar de bailar, ha cogido un sombrero y se lo ha puesto.)*

Y mire usted qué maravilla,
Madam Lolilla la del Realejo
se ha puesto traje y sombrero
que no se gasta en Sevilla.
Qué avance,

compadre.
Y ésa es la cuestión,
que las costureras de casa Lolilla,
están, con toda razón,
al tanto de esas modas
que vienen y pasan,
pero llegan de Francia
y se aceptan sin rechistón.

*(Sigue el jaleamiento y el baile.)*

Ay, que el rey Luis Felipe de Francia
se hizo amiguito
de los españolitos,
y con mucho salero y gracia
de las españolas que bailan y cantan.
Y ésa es la cuestión,
«voilá»:
con la falda arremangá
del traje de gran señora,
baila Lolilla, peinaora
y costurera que fue de su majestad,
reina de las Francias.
Qué elegancias.
Por eso aquí vendemos
corsés, pelucas y peluquines,
fajas de talle alto,
y los mejores vestidos de los figurines
del país de la Ilustración.
¿Qué pasó?
Ah.

(LOLILLA *sin dejar de bailar, se quitó el sombrero y cogió un hermoso abanico de colores rojos, abanicándose con garbo mientras sigue bailando y las demás costureras cantan ahora.)*

COSTURERAS:

Fíjense en Lolilla la del Realejo,
morenilla,
pequeñilla,

211

cómo baila,
con qué garbo y qué salero
se vistió de señorona francesa,
y no le pesa.
Ay, cómo mueve su abanico
de nácar y lentejuelas,
traído de los Versalles
para que calle
Andalucía,
que ni de noche ni de día
deja de cascarrear.
Ésa es la verdad.
Tome usted,
para vender
al inglés
y al granadino.
Qué fino
el abanico de Lolilla.
Cómo lo mueve.
Cómo va y viene.
Con qué recelo.
Qué garbo en las manos y en el pelo.
¡Toma desvelo!
Lolilla,
morenilla,
pequeñilla,
¿Qué secreto llevará?
Y ésa es la verdad.

*(Todas palmotean y bailan con* LOLILLA. *Dejan después a* LOLILLA *sola, bailando, y las costureras le cantan.)*

COSTURERAS:

Costurera y peinaora realejana [27],
arremángate el vestío.
antes de que venga el frío.
Da a este hombro una puntá

---

[27] *realejana:* del barrio del Realejo.

y un pespunte en el faldón,
todo con regla e ilustración.
Éstas son las costureras de Lolilla
y cose que te cose, hasta la coronilla
del tío Fernando,
Mi tío carnal,
oiga usted,
seriedad, seriedad, seriedad.
Que toma la aguja,
que no te la doy,
que a las Alpujarras voy,
porque sí, porque quiero,
que son las fiestas
y nos espera el bolero.
¡Vaya salero!

*(Antes de que terminaran el baile vemos entrar por el patio de butacas a unos títeres haraposos, uno tuerto, otro con un muñón al aire, otro con una muleta dando cojetadas, y una calaña de gente semejante que les acompañan. Al frente viene una mujer despeinada, como una leona, haciendo señas, como si estuviera muda y tocando un pandero. Otros tiran de un carromato y, antes de subir las cuestas, se les oye decir:)*

Los Títeres.— ¡Eh, las del baile!  ¡Eh, barrigas!

Lolilla.— ¡Los feriantes!  ¡Los feriantes!

El del muñón.—*(Cabreado.)* Sí. Los feriantes. Pero, ¿dónde ponemos ahora el carromato?

Lolilla,—*(Chulesca.)* ¿A eso le llamáis carromato? Qué poca monta.

El del muñón.—¿No es ésta la plaza Nueva?

Lolilla.—Éste es el barrio del Realejo.

El del muñón.—Aquí todo el mundo nos engaña.

Lolilla.—Nadie engaña a nadie. Vosotros que os habéis equivocado de camino. Si venís a las ferias, tenéis que volveros y seguir por la calle de Molinos, hasta la calle Reyes y subir después.

EL DEL MUÑÓN.—No sabemos las calles.

LOLILLA.—Vamos, que no habéis estado antes aquí.

EL DEL MUÑÓN.—¿Nosotros? En las fiestas de San Isidro de Madrid sí, pero en las granadinas no.

LOLILLA.—Pues nos ha fastidiado. Vuelvan sus señorías a la Corte de los isidros. Pero, ¿qué ven mis ojos?, si además de «El del muñón», vienen cojos y tuertos.

EL DEL MUÑÓN.—¿Y qué pasa por eso?

LOLILLA.—¿Que qué pasa? Que no se me figura a mí cómo podéis distraer y tener talante con vuestro carromato.

EL DEL MUÑÓN.—Lo que verás, si vas a las ferias.

LOLILLA.—(*Con burla.*) ¿No he de ir a ver el espectáculo?

EL DEL MUÑÓN.—Bueno, ¿nos guía?

LOLILLA.—Guiándolos estoy. Seguir aquel camino y donde veáis la Audiencia, allí es.

EL DEL MUÑÓN.—¿Cómo vamos nosotros a saber dónde está la Audiencia, si no estuvimos aquí nunca?

UNA COSTURERA.—(*Lastimada.*) Y dicen verdad.

LOLILLA.—Os prometemos ir a veros. ¿Qué hace ésa que traéis, con su melena de la revolución francesa y ese pandero?

EL DEL MUÑÓN.—Es muda.

LOLILLA.—(*Aparentando burla.*) ¿No te digo? El asilo de San Juan de Dios que llega.

EL DEL MUÑÓN.—Volvamos. Que no tienen más que

ganas de burlas. Quién le va a meter a éstas en la cabeza lo que somos y lo que fuimos.

Lolilla.—¿Quién fuisteis, quién? ¿Acaso de la nobleza de Francia?

El del muñón.—*(Escondiendo un rencor.)* O héroes de la guerra de la Independencia. Lo contrario que pensaste. Qué buena acertaora. ¿No nos ves? Lisiados de la Independencia.

Lolilla.—Y lo dicen con ese orgullo, sin temor a la policía y sin pensar que están delante de la tienda de «Madam Lolilla», amiga de la nobleza de España y Francia. ¿Se puede ver cosa igual? Pero cá. Éstos me los conozco bien. *(Sigue la burla.)* ¿Y de la gloriosa guerra de la Independencia, habéis pasado al glorioso oficio de títeres?

El del muñón.—*(Burlón.)* ¿Y qué remedio le queda aquí a los héroes?

Lolilla.—No te digo, San Antón. Será provocativo el señor. Vamos, ¿que sois héroes del Dos de Mayo?

El del muñón.—Y de muchos Dos de Mayo más.

Lolilla.—Lo que te digo, Salomé. Que éstos vienen escapados de las serranías de Ronda.

El del muñón.— ¡Benditas serranías!

La muda.—*(Cogiéndolo del brazo.)* Vamos, Frasquito, déjalas. No te enfrentes. Nosotros encontraremos la salida.

Lolilla.—¿Podéis ver cosa igual? ¿Qué te parece la de la cabeza parlante? ¿No era ésa que habló la muda que antes dijiste?

La muda.—Bueno, ¿es aquí o no es aquí? Porque no tenemos ganas de pronunciamientos, que no somos generales arrepentidos, porque si vinierais tirando del carromato desde las costas de Málaga, ya veríais lo que es tirisia [28].

LOLILLA.—Tirisia tendréis de los trinques del camino. Que el del muñón viene con peleona y *(enfureciéndose),* además, desvergonzado y provocativo, faltando de rechazo a nuestras leyes. Gracias que no hay ahora clientela en mi tienda, si no, íbais a saber lo que es bueno.

LA MUDA.—Dejemos a las remendonas. Que son las fiestas de estas granadinas *(burlona)* putifinas y están tan contentas. *(Acentuando la burla.)* No sé a qué vienen esas alegrías, tía María.

LOLILLA.—¿Qué hablas tú, cabeza parlante? Ésta es la casa de modas de madam Lolilla, la mejor y más honrada de Granada.

LA MUDA.—*(Con la ironía de una gallina en pelea.)* Ya se ve que sois muy francesas. Pues que os peguen fuego con ese señorío vestiril o serviril para las grandes damas de la calle de Gracia. *(Intenta irse.)*

LOLILLA.—Eh, tú, parlante. ¿No dices que eres de fuera, cómo sabes el nombre de esa calle?

LA MUDA.—¿Y quién no en España? *(Burlona.)* La aristocracia para la que coséis da en esa calle sus reuniones «sonadas».

LOLILLA.—Venid para acá.

LA MUDA.—No nos da la gana. Que este que ves aquí con el muñón fuera tiene que descansar, para comer después a la hora de la función fuego, cogiéndolo con el muñón y echándoselo a la boca, y queremos descansar antes de que llegue la noche y empiecen estas fiestas granadinas, que según dicen no tienen par. *(Con intención.)* Qué animación en esta Granada.

LOLILLA.—Pues iros de una vez a tomar el fresco a la Fuente de la Bicha.

---

[28] *tirisia: tiricia,* deformación vulgar de «ictericia».

La muda.—*(Remedándole.)* ¡Quítate ese pelucón que te veamos el pelo de costurera! Que hasta las costureras queréis ser hoy de la Ilustración. Y eres una costurera. Y sansacabó.

Lolilla.—*(Quitándoselo.)* Pues mira mi pelo. *(Descubre una melena alborotada de león.)* ¿Qué pasa? Y si venís a la plaza Nueva, poneos bien pegados los oídos en las paredes de la Audiencia.

La muda.—Pero, ¿qué Audiencia dice?

Lolilla.—Esa que buscáis. Que ya os calé.

La muda.—*(En un arranque de coraje.)* Vamos, Frasquito, a llegar a ellas, que voy a decirles unas cuantas cosas al oído. *(Los títeres suben al escenario. La muda dice muy dispuesta.)* Éste es el cojo del Puerto de Santa María, que baila el bolero con la pata coja que le cortó de una cuchillada un francés tuyo, comercianta; sí, comercianta de ese rey Botella [29] que pusisteis en el trono de las Españas.

Lolilla.—*(Dando cara y en jarras.)* ¿Y a decir eso subiste hasta aquí? Pues mira la parlanta qué agallas tiene. Ésta no teme entrar en la prevención.

La muda.—¿En la prevención yo? No hay prevención ni cárcel para encerrar a ésta. Mira lo que tengo aquí. *(Se remanga la ropa y enseña el muslo.)* Una cicatriz que me dejó la herradura de un caballo francés, que llegó a pisotearme, mientras yo defendía las puertas de Zaragoza. Que soy ya vieja, puta y sabia. Para qué lucharía en aquel tiempo en contra de los franceses. Que un caballo francés me pisó y me dejó aquí la reliquia que nadie me ha pagado nunca. Aquí, en mis carnes. Y ahora tú te llamas «madam», te pones esa peluca y coses para la

---

[29] *rey Botella:* José Bonaparte (1768-1844), hermano de Napoleón, que, proclamado rey de España por el Emperador, reinó con el nombre de José I desde 1808 a 1814. El pueblo, que le achacó el excesivo gusto por el vino, le bautizó con el nombre denigratorio de Pepe Botella.

nobleza. Y nosotros, humillándonos, venimos a estas fiestas organizadas por el rey en tiempos difíciles, por no morirnos de hambre.

LOLILLA.—Si venís a hablar de la política estáis muy equivocados. Marchè. Marche. No quiero sermones de la política delante de mi tienda. ¿No bailáis y cantáis y sois títeres? Pues conformaos con lo que habéis dado lugar a ser.

LA MUDA.—¿Te parece poco venir a buscarnos la vida a estas ferias? Y libremente, mientras tú coses harapos para la aristocracia. ¡Y tener que venir a las ferias de Granada! (Con intención.) Que así está Granada de forasteros. Mejor negocio y más limpio, ¿dónde?

LOLILLA.—Pues iros de delante de mi puerta que voy a barrer. Que cualquier puente del río Genil es bueno para posada vuestra, independencieros.

UNA COSTURERA.—Que no les hables más.

OTRA COSTURERA.—Que sigan su camino.

OTRA COSTURERA.—Que no tienes por qué perder clientes si te ven hablando con gente de esta calaña.

OTRA COSTURERA.—Que ya está la gente en los balcones. Vamos, mi aguja. Aquí hace falta otra puntada. Y aquí otra.

OTRA COSTURERA.—Bueno, circular. Ya saben el camino.

LA MUDA.—No nos da la gana. Y ahora nos vamos a sentar en este poyo hasta que el cojo y el del muñón descansen.

LOLILLA.—Que hagan lo que quieran. (Siguen cosiendo.)

EL DEL MUÑÓN.—Venga un cacho de pan.

LA MUDA.—Ahí va.

218

LOLILLA.—¿A que dejan todo lleno de desperdicios?

UNA COSTURERA.—Menudo coche viene.

*(Se oye venir un coche de caballos. Las costureras quedan expectantes.)*

LOLILLA.—Coche va, coche viene. Seguro va al beaterio de Santa María. Ni que las arrecogías fueran princesas. No he visto más carromatos que las visitan.

UNA COSTURERA.—Cuando bajé esta mañana de la Calderería, había grupos rondando las puertas de la Audiencia.

LOLILLA.—Y qué. Han instalado allí este año el ferial.

LA COSTURERA.—Demasiados forasteros como esos. *(Señala a los títeres.)* Lisiados de la Independencia.

LOLILLA.—La del coche de caballos viene aquí. Y buena señorona que es.

UNA COSTURERA.—Pues es verdad.

*(Vemos llegar a una señorona lujosa, con una peluca imperio y ataviada al gusto francés de última hora.*

LOLILLA *se dispone a recibirla.)*

LA SEÑORA.—¿Madam Lolilla?

LOLILLA.—Una servidora.

LA SEÑORA.—¡Ah! *(La mira de arriba a abajo.)* La creí mayor.

LOLILLA.—¿Por qué señora?

LA SEÑORA.—Por su mucha fama. Usted estuvo en Francia aprendiendo costura.

LOLILLA.—Sí, señora. *(Silencio.)*

LA SEÑORA.—¿Puedo revisar los vestidos?

LOLILLA.—Con muchísimo gusto.

LA SEÑORA.—Vengo de Madrid.

LOLILLA.—Mi sueño dorado es Madrid.

LA SEÑORA.—*(Analizando los vestidos.)* Qué buen gusto. Qué corte tan elegante. Ya veo que está al tanto de la moda. Y además, vende usted pelucas y telas... *(analizándolas)* y telas riquísimas. Yo venía, sabe usted, a ver si fuera posible que me hicieran un vestido para el día de la Octava.

LOLILLA.—De aquí a nueve días, señora. No sé qué le diga. Hay tanto vestido por terminar.

LA SEÑORA.—Lo pagaré a un precio mayor que el habitual.

LOLILLA.—No es por eso, señora. Es el tiempo...

LA SEÑORA.—Sabe, vine invitada a Granada y me aconsejaron que en su casa podrían satisfacer mi deseo, porque veo aquí un tafetán verde precioso... Y yo quisiera mi vestido verde, como este tafetán.

LOLILLA.—*(Mirándola de arriba a abajo.)* Se ve que tiene buen gusto la señora.

LA SEÑORA.—*(Cogiendo el tafetán.)* Sí, es precioso. Se ha puesto de moda este color. ¿No lo sabe?

LOLILLA.—No.

LA SEÑORA.—Sí, se ha puesto de moda por ser el color de esas banderas que descubren a los rebeldes por cualquier rincón de España. Y voilá. He aquí la moda.

LOLILLA.—*(Sonriendo.)* ¿Vestirse las señoras de España del color de esas banderas?

LA SEÑORA.—Es una manera de, ¿cómo le diría?, de despreciar. Eso es, despreciar.

LOLILLA.—¿Y a qué rebeldes se refería la señora?

LA SEÑORA.—A esos que llaman masones, liberales,

persas [30] o no sé qué más. Los focos esos de insurrectos que, en buena hora, se están terminando para bien de la paz y tranquilidad de todos.

LOLILLA.—(*Con profunda tristeza.*) ¿Acaso ha visto la señora alguna de esas pobres banderas arrinconadas o tal vez ensangrentadas, tiradas en cualquier rincón de cualquier calle?

LA SEÑORA.—(*Mirándola pensativamente.*) No vi. Pero sea lo que sea, reconozco que no deja de ser un acto de hermosura... (*Sin dejar de mirarla.*) Pero dicen que Granada es un lugar tranquilo y pacífico. Qué agua tan tranquila la de sus fuentes y qué pececillos de plata se ven entre las aguas... Gracias a Dios podremos festejar las fiestas en paz... Dicen que esta tienda la frecuentó mucho esa señora que llaman Mariana de Pineda. ¿Es cierto?

LOLILLA.—Cierto. Aquí se vestía. ¿Mucho le interesa a la señora?

LA SEÑORA.—Tiene fama su elegancia y su belleza. Nadie diría que fue la mujer de un campesino, ni hija de padres desconocidos, tal vez granadinos, pues dicen que su belleza es algo así como nórdica, tal vez germana...

LOLILLA.—¿La vio alguna vez?

LA SEÑORA.—No. Por las alabanzas que se hacen de ella, hablo de cómo es. Su éxito es grande entre los mejores políticos de la Corte y de Granada... (*Mirándola con intención*) tal vez también de los refugiados de Gibraltar. Por todo, yo quisiera vestirme una vez que vengo a Granada en la casa de madam Lolilla. ¿Podrá hacerme el vestido de tafetán que digo? (*Muestra un*

---

[30] *persas*: grupo político que abogaba por la restauración del Antiguo Régimen y por la anulación de la Constitución de 1812. El llamado «Manifiesto de los persas» (1811) fue recibido por un populacho tan enardecido como ignorante con el grito tristemente famoso de «Vivan las cadenas».

*trozo de la misma pieza de tela.)* Es exactamente igual esta pieza de tafetán verde que yo traigo que la que tiene usted.

LOLILLA.—*(Cogiendo rápidamente la pieza de tafetán.)* ¡Igual! *(Con odio y mascullante.)* Igual que el de la bandera que tiene Pedrosa.

*(Ha cogido de pronto unas tijeras grandes y amenaza al corazón de la señora.)*
¡Quieto! *(De un tirón le arranca la peluca. Se descubre que es un hombre.)* ¡Atad las manos!

*(Las costureras avispadas están atando las manos del hombre, mientras una le amenaza por la espalda con otras tijeras.)*

Que tu boca no rechiste. Traes los dientes podridos y noté tu olor a caballo de las caballerizas de Pedrosa, pero haces bien el papel de señora, propio de esos policías que esperan el sobresueldo de Pedrosa, aunque tengan que denunciar a inocentes. ¡Quieto!

*(Vemos al policía temblar levemente; hizo un intento de escapar, pero Lolilla y la otra costurera le acercaron más las tijeras.)*

Estas tijeras pueden clavarse en tu corazón. Mira qué cerca las tienes. Y ya te diste cuenta de que somos muchos. Mira a tu alrededor. *(Los títeres se han ido levantando y acorralando al policía.)* Sabía que ibas a venir. Nosotros también tenemos nuestros espías. Te estábamos esperando. Sí. El tafetán lo regalé yo. Yo, Lolilla la del Realejo. Que lo sepas bien. Ahora dime, ¿qué ha sido de ese juicio que acaba de fallarse esta mañana?

EL POLICÍA.—*(Sudando y en el mismo leve temblor.)* No sé... de ningún juicio.

LOLILLA.—*(Amenazándolo aún más con las tijeras.)* ¡Lo sabes! Has venido por eso. Estáis a ver si descubrís los móviles de la bandera. ¿Qué nombres de liberales salieron a relucir en el juicio? Y no es que me importe el mío, pero sí el de muchos.

El Policía.—*(En la misma actitud.)* No sé de ningún juicio.

Lolilla.—Qué sencilla va a ser tu muerte. Y mira. Mira a tu alrededor. Vuelve a mirar. Tienes gente por todas partes dispuestas a asesinarte. Todos esperan que digas un nombre. ¡Di ya ese nombre!

El policía.—No sé de ningún juicio.

Lolilla.—¿Qué pasó en la Audiencia? ¿Habéis condenado a D.ª Mariana de Pineda?

El policía.—*(Apoderándosele un terror.)* No sé. No sé.

*(Lo arrojan al suelo. Lolilla ante él le pone las tijeras en el cuello.)*

Lolilla.—Estás dentro de mi tienda y nadie de los tuyos puede verte. No importa un crimen más. Dinos, ¿habéis condenado a D.ª Mariana?

El policía.—*(Perdiendo el control.)* Sí, sí, sí.

Lolilla.—¿Y Mariana se defendió? *(Silencio.)* Habla, habla.

El policía.—Mariana... no estuvo en el juicio. Se falló sin ella estar presente.

Lolilla.— ¡Canallas! Han fallado el juicio sin que ella se defienda. ¡Ea!, no se puede esperar más. *(Levantándose.)* ¿Habéis oído? ¡Han condenado a Mariana sin que ella se defienda! ¡Han fallado el juicio de otra arrecogía sin que ella se defienda! ¡Criminales!

La muda.—*(Al policía.)* ¿Y qué nombres sonaron en el juicio?

El del muñón.—¿Qué nombres, di, qué nombres?

*(Piterío por todo el teatro. La Policía entra por el patio de butacas. La luz de la sala se enciende. Los títeres se enfrentan a la Policía, sacando cuchillos y*

223

*pistolas. La gente, escondida entre las ventanas y bal-*
*cones de las casas, encañonan con fusiles a la Policía.*
*Éstos, en principio, se dan cuenta y se detienen sin*
*subir al escenario.)*

LOLILLA.—Cuidado que nadie se acerque ni toque un
tanto así de nuestra ropa. Ni a esta tienda que tanto bien
hizo a muchos. De aquí salió la bandera. Y de aquí salieron los disfraces que hicieron salir a muchos presos de
la cárcel. Ya sabéis un nombre más. El mío. El de Lolilla. El de la que regaló la tela de la bandera sin que
nadie viniera a comprarla. Andad, venir por mí y hacerme arrecogía. *(Tira las tijeras al suelo.)* Nada en mis manos. Y nadie disparará, porque no queremos sangre. Vosotros sois España también.

*(La Policía hace intento de subir. Los demás encaño-*
*nan dispuestos a disparar. La Policía vuelve a dete-*
*nerse.)*

¡Que nadie dispare! ¡Ni nadie amenace! ¡Fuera esos
fusiles! *(La gente deja de encañonar.)* Pero sigamos alerta. Ya lo sabéis, en cada casa se esconde un liberal. Pero
cuidado con que nadie delate a nadie. Sé que ni vosotros
quisierais ser lo que sois. Ea, retiraos. Iros retirando sin
dejar de mirarlos. Nos vamos también a las serranías de
Ronda.

*(LOLILLA y los suyos se van retirando, dando pasos*
*hacia atrás y cantando bajito, mientras palillean con*
*los dedos de las manos sin dejar de mirar a la Policía*
*y haciéndoles de esta manera frente. Puertas y ven-*
*tanas se cierran al mismo tiempo. Mientras, se van*
*retirando LOLILLA y las costureras:)*

Estas son las costureras de Lolilla
y cose que te cose, hasta la coronilla
del tío Fernando.
Mi tío carnal,
oiga usted,
seriedad, seriedad, seriedad.
Que toma la aguja,

que no te la doy,
que a Ronda me voy,
porque sí, porque quiero,
que son las fiestas
y me espera el bolero.
¡Vaya salero!
Salero, salero, salero.

(*Rápidamente se apaga la luz de la sala y la Policía
irrumpe en el escenario, dando golpes en puertas y
ventanas, abriendo la puerta de la tienda de* LOLILLA
*y entrando a saco en ella. Las campanas del Beaterio
de Santa María repican a Gloria. Sube el telón de la
tienda de Madam* LOLILLA, *mientras los músicos pasan tocando con mucha alegría, anunciando las fiestas con pancartas. Al mismo tiempo van subiendo las
tapias del beaterio. El día es luminoso y espléndido.
En los bebederos de las caballerizas de abajo,* CARME-
LA «LA EMPECINADA», CHIRRINA «LA DE LA CUESTA»,
CONCEPCIÓN «LA CARATAUNA» y EVA «LA TEJEDO-
RA» se lavan a galfadas [31] y después se van poniendo
al sol para secarse.
RITA «LA AYUDANTA» le da a la bomba del agua. MA-
RIANA se está peinando. D.ª FRANCISCA «LA APOSTÓ-
LICA» se va a acicalarse dentro de la celda. ROSA «LA
DEL POLICÍA» sigue con las manos atadas. PAULA «LA
MILITARA» la está peinando. ANICETA «LA MADRID»
se lava los pies en un lebrillo. La música se oye tocar
lejana.*)

ANICETA «LA MADRID».—¿Dónde será hoy el concierto? Vaya unos querubines tocando. Seguramente
habrán estado ensayando en las cuadras de su casa. Yo
no quiero más que a los músicos de mi Madrid. Esos
sí que saben tocar.

PAULA «LA MILITARA».—El concierto será en la plaza
nueva.

---

[31] *Lavarse a galfadas:* lavarse con abluciones, recogiendo en las
manos la mayor cantidad posible de agua.

EVA «LA TEJEDORA».— ¡Qué alegría! Hoy es Corpus Christi.

CHIRRINA «LA DE LA CUESTA».—Bandejas con pétalos de rosa guardaba yo en mi alcoba para tirar los pétalos al paso de la Custodia. Yo, sí. A mí las cosas de las procesiones y de los santos me gustaron siempre. A veces salí con una vela y cantando en las procesiones. Además, yo creo mucho en Santa Rita. Me ha hecho ya dos milagros.

ANICETA «LA MADRID».—A ver si Santa Rita la llorona, te saca de aquí.

EVA «LA TEJEDORA».—Vaya una banda tocando. Parece que hemos amanecido en paz y en gracia de Dios.

PAULA «LA MILITARA». — Corpus Christi, ¿qué quieres?

CARMELA «LA EMPECINADA».—*(Acercándose a* RITA *con misterio.)* Dinos, Rita, ¿qué te dijo el panadero?

RITA «LA AYUDANTA».—Que hay más forasteros que nunca.

CARMELA «LA EMPECINADA».—¿Y nada más?

RITA «LA AYUDANTA».—Bueno, lo que os dije: que han visto pasar a un cura preso porque habló mal del gobierno desde el púlpito.

CARMELA «LA EMPECINADA».—¿Y nada más?

RITA «LA AYUDANTA».—¿Y es que yo soy la Gaceta?

CARMELA «LA EMPECINADA».—La Gaceta no, pero sí la que recoge el pan.

RITA «LA AYUDANTA».—¿Y qué?

CARMELA «LA EMPECINADA».—Que puedes oír más cosas que ninguna.

RITA «LA AYUDANTA».—Otro mes te tocará a ti.

Carmela «La Empecinada».—¿Pero hablaste mucho rato con el panadero? *(Irritada.)* No te quedes más pensando y contesta.

Rita «La Ayudanta».—*(Dándole a la bomba.)* Pienso en Rosa «La Gitanica» que ya estará en el Hospital Real.

Aniceta «La Madrid».—Déjala que piense y que hable lo que quiera con el panadero.

Paula «La Militara».—*(A Aniceta.)* A ver si dejas ya el lebrillo, que podamos lavarnos los pies las demás.

Aniceta «La Madrid».—Y el lebrillo tuyo, ¿qué?

Paula «La Militara».—Éste es para lavarnos la cara.

Carmela «La Empecinada».—*(En el mismo misterio, a Rita.)* ¿Por qué hablaste tanto rato con el panadero?

Chirrina «La de la Cuesta».—Y dale morena.

Rita «La Ayudanta».—Porque me salió de donde yo sé.

Aniceta «La Madrid».—Pero qué mal genio echó esta Rita «La Ayudanta».

Rita «La Ayudanta».—Todo se pega.

Carmela «La Empecinada».—Pero mírala ahí.

Concepción «La Caratuna».—*(A Chirrina.)* Como te sigas echando esas galfadas de agua me voy a poner chorreando.

Chirrina «La de la Cuesta».—Pues ponte. Que te hacía falta lavarte bien.

Concepción «La Caratauna».—Eso es, y me quedo en enaguas mientras se seca el vestido, y no voy a ir en enaguas a la iglesia.

CHIRRINA «LA DE LA CUESTA».—(Burlona.) ¿Y qué importa que no vayas si nunca pones atención y miras al techo mientras dicen la misa.

CONCEPCIÓN «LA CARATAUNA».—¿Y qué tiene que ver lo que una haya sido y sea para seguir creyendo en Dios?

CHIRRINA «LA DE LA CUESTA».—¿Lo veis? Ésta tiene que estar aquí por tonta.

CONCEPCIÓN «LA CARATAUNA».—A mí que no me quite nadie a Dios. No me lo pudieron quitar ni los de la Ilustración, que iban a mi pueblo a enseñarla.

CHIRRINA «LA DE LA CUESTA».—Se ve que no pudo ilustrarse la señora. (Mete la cabeza entera en la pila y el agua se derrama.)

CARMELA «LA EMPECINADA».—¿No veis, chiquillas? Que cuando mete la cabeza en los bebederos, es como si la metiera una mula.

ANICETA «LA MADRID».—Como que tiene cabeza de león con tantísimo pelo y tan largo.

CHIRRINA «LA DE LA CUESTA».—(Sacando la cabeza y encarándose con ANICETA.) O cabeza de bailaora. Que yo bailé en los cafés cantantes de Cádiz. Y todavía, mirad qué brazos tengo, duros como garrotes, con borbotones de sangre dentro que no saben para dónde tirar. Unos brazos como mis piernas y mis muslos. (Se remanga la ropa y se tira un pellizco en el muslo.) Mirad, acero puro. A quien pisoteen estas piernas o ahoguen estos brazos, va a saber lo que es morir. (Se canturrea y taconea.) «Que si quieres arroz, Catalina.»

CARMELA «LA EMPECINADA».—(Secándose al sol y acercándose otra vez a RITA.) ¿Y qué más te dijo el panadero?

RITA «LA AYUDANTA».—Déjame, empeciná. Respetad el día de hoy y no acordaros de las cosas políticas. Digo yo. Que hoy es el día más hermoso del año:

Tres días tiene el año
que relucen como el sol,
Jueves Santo, Corpus Christi
y el día de la Ascensión.

CARMELA «LA EMPECINADA».—*(Burlona.)* ¿No os digo que a ésta la llaman «La Ayudanta» por algo? Todo lo de la iglesia se le pegó.

ANICETA «LA MADRID».—Deja de una vez a la pobre. ¿No veis que de aquí sale corregida para el claustro? Se está viendo. Si es tan buena... ¿por qué estás aquí, hija mía? ¿Te hizo una barriga algún liberal?

CONCEPCIÓN «LA CARATAUNA».—Haga usted el favor de callarse con esas preguntas de mala intención. Que me he puesto hasta colorada.

ANICETA «LA MADRID».—*(Desenfadada.)* Es que yo quisiera saber por qué está aquí.

EVA «LA TEJEDORA».—Nadie tiene derecho a contar por lo que está, digo yo.

ANICETA «LA MADRID».—*(A EVA e irónica.)* Tampoco tu caso es claro.

EVA «LA TEJEDORA».—Y yo ni lo predico ni os importa. Pero todas sabéis que fui tejedora, que me establecí en el Albaicín, y que hilaba en un telar de la Plaza Larga, que era mío y que lo puse con muchas fatigas después de haber trabajado mucho en Cataluña...

ANICETA «LA MADRID».—¿Y qué más?

EVA «LA TEJEDORA».—Y que me enamoré de un liberal y sansacabó. Y que el liberal se fue a la sierra. Y que de la sierra se fue a los campos de Gibraltar. Y hace dos años. Y no me llegó ni una carta. Ni una noticia. Y tengo cuatro hijos de él. Y no sé si siguen en el telar, que ya con diez años trabajan. Y ni el abogado de oficio sabe de mis hijos ni de mi telar. Todo mi delito es haber querido y querer todavía un hombre que huyó. Y por las noches me desvelo porque creo que me llaman mis hijos. No sé ni dónde estarán. El mayor tiene catorce años. Y salgo al patio a media noche, a ver si el aire me trae alguna voz de ellos... Y nunca oigo nada.

CHIRRINA «LA DE LA CUESTA».—¿Lo veis? Los abogados de oficio que nos mandan están vendidos también. Quién hubiera podido comprarlos con el dinero que gané bailándole a los franceses en las tabernas de Cádiz. Pero al traerme de arrecogía me quitaron hasta el pañuelo. Por estos muslos que tengo y por estas ancas se volvían locos los franceses de Pepe Botella. Y si hubiera querido, hubiera bailado en los palacios y hubiera enamorado hasta enloquecer al mismo Pepe Botella. Pero fui una desgraciá que no me supe quedar con el dinero. Mi baile valía más que el dinero. Hoy podría tener dinero para comprar a todos los abogados de oficio que vienen al beaterio. ¡Que también la justicia está vendida!

ANICETA «LA MADRID»:

> Amigo y el más amigo,
> y el más amigo la pega.
> No hay más verdad que Dios,
> y un duro en la faltriquera.

MARIANA DE PINEDA.—Como acaso siempre haya estado vendida la justicia.

*(Todas la miran expectantes.)*

CHIRRINA «LA DE LA CUESTA».—Y si sabes eso, ¿por qué consientes hablar con esos apagavelas de oficio que nos traen diciéndonos que son abogados?

MARIANA DE PINEDA.—Los miro y no los escucho. No hablo con ellos. No puedo hablar. Les comprendo el engaño y a veces siento piedad. Pero veo en sus fondos y creo entonces saber por dónde anda todo. Sé esta injusticia, y la acepto como es. Pero yo también sé hacer la guerra a mi manera. Y los secretos de esta desgraciada sabiduría, si es preciso, me los llevaré a la tierra. A pesar de todo, todavía espero mucho. Mis esperanzas no terminan.

CHIRRINA «LA DE LA CUESTA».—¿Y no pueden saber tus compañeras de muerte ni un poco de lo que tú sepas?

MARIANA DE PINEDA.—Cada una hemos vivido una vida. Es ya imposible.

*(Silencio. La atmósfera toma un aire grave y misterioso. Cada una sigue en su faena.* CARMELA «LA EMPECINADA» *se ha vuelto a acercar a* RITA «LA AYUDANTA», *que sigue al cuidado de la bomba de agua, para preguntarle.)*

CARMELA «LA EMPECINADA».—¿Y qué más te dijo el panadero? Se ve que no quieres decirlo.

RITA «LA AYUDANTA».—Pero, ¿por qué he de saberlo yo? Pregúntale a ésa *(por* EVA) que no duerme nunca y lo oye todo.

EVA «LA TEJEDORA».—Nada sentí. Esta noche estuvo el aire callado. Todo callado. Y estaba el aire muy templado.

CHIRRINA «LA DE LA CUESTA».—Pues buen jaleo que yo oí. Claro, sería la feria.

EVA «LA TEJEDORA».—El jaleo se terminó pronto. Después, ni el aire se levantaba. Yo sentí calor y me salí al patio. Y vi este capullo que nacía.

MARIANA DE PINEDA.—¿Un capullo? Qué milagro en el beaterio.

EVA «LA TEJEDORA».—Sí. Éste.

MARIANA DE PINEDA.—Y es verdad.

EVA «LA TEJEDORA».—*(Con cariño.)* Quisiera... Mariana, que algunas mañanas me dejaras peinarte.

MARIANA DE PINEDA.—Sí, Eva, sí. Cuánto te lo agradezco.

PAULA «LA MILITARA».—¿Es posible que no tengamos dónde secarnos? Ni mantas, ni sábanas en los jergones.

ANICETA «LA MADRID».—Es que temen que te ahorques.

PAULA «LA MILITARA».—¿Dónde me seco ahora las manos? Aquí no llega el sol. (A las de abajo.) Dichosas vosotras las de la igualdad de clases, que tenéis el privilegio del sol.

CHIRRINA «LA DE LA CUESTA».—Ya abrió el pico la Militara.

PAULA «LA MILITARA».—Vosotras que hasta tenéis rosales con capullos.

ANICETA «LA MADRID».—Ya empezaron los pronunciamientos. Y en Corpus Christi.

PAULA «LA MILITARA».—Me secaré en los barrotes, ea.

(Se seca y se peina después un pelo largo y negro, que le llega a la espalda.)

ANICETA «LA MADRID».—Menuda melena tiene ésta también, llena de piojos.

PAULA «LA MILITARA».—Serán de los tuyos.

EVA «LA TEJEDORA».—Si al menos nos dejaran que las familias trajeran cosas.

CARMELA «LA EMPECINADA».—Mal tiene que andar todo.

CHIRRINA «LA DE LA CUESTA».—Y nadie da la cara, ni las monjas.

RITA «LA AYUDANTA».—Eso no digas, porque Sor Encarnación va y viene como la que quiere hablar con nosotras.

232

Chirrina «La de la Cuesta».—Pero se calla, como la que no se atreve a hablar.

Aniceta «La Madrid».—Alárgame el peine.

Paula «La Militara».—¿El de las tres púas?

Aniceta «La Madrid».—Ay, qué lástima de mis peinas. Quién tuviera siquiera una para darse un alisón.

Paula «La Militara».—(A Rosa.) Qué guapa te estoy poniendo Mirad a Rosa, con la raya en medio y el pelo tirante es hasta guapetona. Se acostumbró a las argollas y está hasta guapa desde que no llora. (Le toca la frente.) Pero sí tiene las calenturas. A ver. (Le toma el pulso.) Pero que muy caliente. Pero qué vejigas tiene en las muñecas. Si se le ven hasta los huesos. ¿A ver? Mira a ver tú, Aniceta.

Aniceta «La Madrid».—(Yendo descalza.) Sí. ¿Y no te duelen? (Rosa no contesta.) Si está ardiendo.

Paula «La Militara».—¿Y no querrán que esta salga así a misa?

Aniceta «La Madrid».—Quiá, hija. Esta se queda en la jaula. ¿No ves que puede darles con las argollas?

Rosa «La del Policía».—(Soñolienta.) ¿Hay misa hoy?

Aniceta «La Madrid».—¿Pero no ves cómo nos estamos lavando? Han mandado perfumarnos con el agua de la acequia gorda para entrar lavadas y como Dios manda a la capilla. Es que estás soñolienta.

Rosa «La del Policía».—No lo estoy.

Aniceta «La Madrid».—Ay, hija, siempre nos traes sobresaltos.

Rosa «La del Policía».—(Levantándose y yendo a los hierros, soñolienta, obsesiva.) Nadie oyó lo que yo oí ayer. Serían las cuatro de la tarde.

ANICETA «LA MADRID».—¿Qué se va a oír? Sólo música y forasterío.

ROSA «LA DEL POLICÍA».—¿No es demasiado el forasterío que está entrando?

ANICETA «LA MADRID».—No lo es. Estamos en fiestas.

ROSA «LA DEL POLICÍA».—(*Misteriosa.*) ¿No es demasiada la música que suena?

ANICETA «LA MADRID».—Mira, déjanos en paz. Digo. Parece una pitonisa.

ROSA «LA DEL POLICÍA».—Ayer, a las cuatro de la tarde, hubo redada. Y daban grandes golpes en las puertas de las casas.

PAULA «LA MILITARA».—¿Pero qué está hablando esta mujer?

ROSA «LA DEL POLICÍA».—Hubo redada. Oí la alarma y los gritos. No he dormido en toda la noche y sé que no han dejado de entrar y salir al beaterio. He oído puertas abrirse y cerrarse muchas veces. Y alguien quería hablar con alguna de nosotras.

MARIANA DE PINEDA.—Pues aquí estamos para que nos hablen. Rosa, te pido que te serenes. Ahora es la mejor hora para estar serenas. Yo también oí lo que tú. Pero hay que estar muy serenas. Y preparadas.

(*Pasan y cruzan dos monjas, las arrecogidas se callan. Antes de salir de escena, las monjas abrieron las puertas de la capilla.*)

ANICETA «LA MADRID».—(*Mientras las monjas pasan.*) Qué alegría. ¿No oís la música y el forasterío? ¡Santísimo Corpus Christi!

MARIANA DE PINEDA.—¿A qué te referías, Rosa?

ROSA «LA DEL POLICÍA».—Puede que tú lo sepas como yo.

Mariana de Pineda.—¿A que se haya celebrado algún juicio? ¿Los católicos del rey pueden celebrar juicios en fiestas tan hermosas como ésta? Todos estarán tranquilos. Apuesto que hay gente hasta de la Corte en Granada, y malagueña, y de las serranías de Ronda. (*Esta última frase la ha dicho con misterio y esperanza.*) ¿A qué temes, Rosa?

Rosa «La del Policía».—Habla, Eva, habla tú que estás desvelada siempre. Te he visto sin poder dormir, ahí abajo.

Eva «La Tejedora».—Ya he dicho lo que oí.

Rosa «La del Policía».—Estás mintiendo por algo. (*Cogiéndose a los hierros asustada.*) Ay, Dios. ¿Habrán venido hombres de las Alpujarras o de Ronda y los habrán detenido?

Concepción «La Caratauna».—(*Asustada.*) ¿Acaso mi juicio pueda haberse fallado? (*Muy nerviosa se dirige a* Mariana.) ¿Sabes algo sobre esto, Mariana?

Mariana de Pineda.—(*Conteniendo sus sentimientos.*) Os pido tranquilidad. Seguir arreglándoos. Un padre franciscano nos va a confesar y no podemos oler mal al entrar a la capilla. (*Con mucho cariño a* La Caratauna.) Vamos a tomar la Comunión después. No puede haber en la tierra miedos tan grandes como para fallar y dictar juicios en estos momentos tan hermosos. No podemos tener miedo. Ya suena la segunda llamada. A misa todas, y muy tranquilas. Que nadie se dé cuenta de nuestro miedo, porque se alegrarían.

Aniceta «La Madrid».—Anda, Chirrina, que vamos a entrar con tus santos, que quiero verte con el rosario en las manos y pidiéndole a Santa Rita.

(*En estos momentos sale* D.ª Francisca «La Apostólica» *con una peluca francesa y adornada espléndidamente. Todas la miran.*)

Carmela «La Empecinada».—(*Con burla a* D.ª Francisca.) ¿Qué, a la iglesia?

D.ª FRANCISCA «LA APOSTÓLICA».—Digo. Y con mi velo. *(Se pone un velo riquísimo y brillante en lo alto de la ridícula peluca.)* Africano. Fabricado en Melilla.

CHIRRINA «LA DE LA CUESTA».—*(Haciendo reír a todas.)* Digo, la peluca que se puso con tantos caracoles la de los sermones constitucionales.

D.ª FRANCISCA «LA APOSTÓLICA».—*(Sin soliviantarse.)* ¿Acaso voy mal? Una es joven todavía.

CHIRRINA «LA DE LA CUESTA».—Casi en los sesenta estará la señora, aunque se quita diez de golpe.

D.ª FRANCISCA «LA APOSTÓLICA».—¿Y qué? Todavía puedo enamorar.

CHIRRINA «LA DE LA CUESTA».—*(Acercándose con coraje.)* ¿Enamorar? ¿A quién?

D.ª FRANCISCA «LA APOSTÓLICA».—A quien pueda ser.

CARMELA «LA EMPECINADA».—*(Con coraje.)* Digo, la peluca que se puso la constitucional. ¿Y dice que no es de la aristocracia? ¿Veis cómo no podéis dejar las lacras que arrastráis? Las lacras y las dañinas grandezas es vuestro mundo inútil, que nos está llevando a la ruina.

D.ª FRANCISCA «LA APOSTÓLICA».—*(Muy serena.)* ¿Por qué? ¿Porque una es mujer y sepa ponerse los postizos y vestirse como Dios manda?

CARMELA «LA EMPECINADA».—*(Cabreada.)* Pues eso es de rica. Pues eso es que quieres ser todavía rica.

D.ª FRANCISCA «LA APOSTÓLICA».—Soy una mujer, y joven, aunque os pese.

CARMELA «LA EMPECINADA».—Y yo otra. Y mira mí melena colgando. Y si tan constitucional eres, quítate ahora mismo esa peluca para entrar en la iglesia, vamos, que te la quito de un tirón. Entra como nosotras, con los pelos colgando, rotas las ropas y hasta descalzas, que la guerra nos espera y no las fiestas.

Chirrina «La de la Cuesta».—Carmela, déjala.

Carmela «La Empecinada».—Es que me subleva. Parece que va de fiesta la señora. Y yo sé bien por qué, porque ella, como Rosa y las demás, ha oído la redada y se alegra.

D.ª Francisca «La Apostólica».—(Muy serena.) Si me alegrara, ¿cómo iba a estar aquí contigo?

Carmela «La Empecinada».—Háblame de usted, que yo también fui señora.

D.ª Francisca «La Apostólica».—¿En qué quedamos, pues? ¿Acaso hasta las pobres aspiran a ser señoras?

Carmela «La Empecinada».—(Muy irritada.) Pues ea, con esas ínsulas [32] y con esa peluca no entras a la capilla con nosotras. Y no te pronuncies, porque soy capaz de cagarme en mis muertos. Y deja ya tanto fingimiento, que algo malo pasa en Granada y alguien de las que estamos aquí nos vende. Y yo, que no me desvelo tan fácilmente como éstas y duermo como un lirón, que no extraño jergones ni piojos, sin embargo he oído esta noche lo que ninguna: dar los martillazos que dan cuando un patíbulo se alza. ¿Quién puede negar que no ha oído esos martillazos?

Concepción «La Caratauna».—(Tapándose los oídos.) ¡Qué te calles ya!

Eva «La Tejedora».—El tercer toque.

(Se oyen, acercándose, rezos de monjas, van desfilando madres y hermanas del beaterio y entran en la capilla. Unas hermanas suben y abren la celda de arriba. Salen, muy damas y altaneras, Aniceta «La Madrid» y Paula «La Militara». Va a salir Rosa «La del Policía» y las hermanas la dejan dentro, cerrando la cancela.)

---

[32] ínsulas: deformación vulgar por «ínfulas».

Rosa «La del Policía».—(*Aterrorizada.*) ¿Por qué yo no?

(*Las hermanas no le responden y bajan.* Aniceta y Paula, *sospechando, se hacen las retraídas.*)

¿Pero por qué yo no?

(*Todas las arrecogidas sienten un gran pánico y se miran unas a otras.*)

Mariana de Pineda.—(*Atajando a las monjas antes de que acaben de bajar.*) ¿Se puede negar la misa a una presa? (*Las monjas, sin responder, intentan seguir su camino, pero* Mariana *vuelve a interponerse.*) ¿Quiénes sois vosotras, ni el beaterio entero, ni la diócesis granadina en pleno para prohibir un mandato de Dios?

(*Las monjas, sin responder entran en la capilla.*)

Rosa «La del Policía».—(*Desesperada.*) Se ha fallado mi juicio, Mariana. Se ha fallado mi juicio. No me dejéis sola, por Dios. Necesito a Dios. Necesito hablarle en la capilla. No me dejéis sola, que pueden llevarme mientras vosotras estáis oyendo la misa. Mariana sube. Sube, por Dios.

(*Rápidamente sube* Mariana *y abraza a* Rosa *y la acaricia entre los hierros de la puerta de la celda.* Mariana, *después, en un momento de cólera, dice desde el barandal.*)

Mariana de Pineda.— ¡Que no sigan entrando en la capilla! ¡Y que salgan las que entraron! Y que no entre ninguna arrecogía sin que antes no hayan abierto la puerta de esta celda. ¡Que nadie tenga valor de celebrar la misa sin Rosa! ¡Y de oír la misa sin Rosa!

(*Las arrecogidas se han detenido, indecisas, aterrorizadas.* Mariana *baja rápida y va a cerrar la puerta de la capilla. Al momento aparecen soldados rodeando el patio, con fusiles y bayonetas* [8] *en ristre.* Mariana *les dice en la mayor serenidad.*)

---

[8] *Machetes:* siempre que en el texto vuelve a aparecer «bayonetas» se sustituye por «machetes».

No tenemos miedo. Ningún soldado nos asusta, por muy relucientes que enristren las bayonetas. Ninguno. Y que ningún soldado se mueva de donde está. Sé que no tendréis valor de moveros. (Se pone delante de la capilla para que nadie entre.) Lo que haya de pasar todas queremos saberlo. (A las monjas que han ido saliendo de la capilla.) Vengan las llaves o venga la sentencia, que todas la oigamos.

(SOR ENCARNACIÓN sale por la puerta que conduce a la escalera que da al rastrillo, con un oficio en la mano. Tras ella, unos padres franciscanos.)

SOR ENCARNACIÓN.—Aquí está. (Lee copia del oficio. Un tambor redobla.) «En virtud del decreto de uno de octubre de 1830, aplico el artículo siete del decreto a doña Mariana de Pineda, natural de Granada, viuda, de veintisiete años de edad, que dice: "Toda maquinación en el interior del reino para actos de rebeldía contra mi autoridad soberana o suscitar conmociones populares que lleguen a manifestarse por actos preparativos de su ejecución, será castigada en los autores y cómplices con la pena de muerte. Y ha quedado demostrado que la susodicha señora ha cometido uno de los actos criminales de mayor gravedad. El de haberse encontrado en su propia casa el delito más horroroso y detestable, como es el encuentro y aprehensión del signo más decisivo y terminante de un alzamiento contra la soberanía del Rey Nuestro Señor." Firmado, el fiscal de la Audiencia Territorial de Granada, don Andrés Oller».

(Al terminar de leer la sentencia ha llegado un grave silencio. Las monjas vuelven a entrar a la capilla, entonando suaves y bellos cantos gregorianos.
Las arrecogidas y SOR ENCARNACIÓN están quietas y silenciosas. MARIANA se sobrepone y se adelanta hacia el centro del escenario sin decir palabra, con la mirada perdida en el vacío. De pronto, es CARMELA «LA EMPECINADA» la que rompe el fuego.)

CARMELA «LA EMPECINADA».—(Gritando y señalando

*a la capilla.)* ¡Yo no entro ahí! *(Se apodera de todas una histeria y gritan.)*

Todas.— ¡Ni yo! ¡Ni yo! ¡Ni yo! ¡Ni yo!

*(Los soldados intentan avanzar.* Carmela «La Empecinada» *es la primera que les hace frente.)*

Carmela «La Empecinada».— ¡Quietos! ¡Un juicio se ha fallado en la mayor de las traiciones!

Aniceta «La Madrid».— ¡El mundo se enterará de esta traición y los despreciará siempre!

Carmela «La Empecinada».— ¿Cómo es posible que enristréis vuestras bayonetas? ¡Maricones! ¡Serviles!

*(Intenta abalanzarse sobre uno, pero* Aniceta «La Madrid» *la detiene.)*

Aniceta «La Madrid».— ¡Qué vas a hacer, desgraciada! ¡Que nadie ponga las manos encima de nadie!

Chirrina «La de la Cuesta».— ¡Tranquilas todas! ¡Y a cantar con rabia y odio! [a]

*(Todas cantan, menos* Mariana *que sigue en su mundo aparte, con la mirada perdida.)*

Todas.—*(Danzando, al mismo tiempo amenazantes.)*

Ay, qué día tan grande en el beaterio,
que hasta a las piedras haría llorar.
Hemos oído el martillo de un patíbulo que levantan.
¡Qué temblor y qué miedo tendrán las manos de los
[hombres que martillean!
¡Si en esos momentos pudieran hablar!
No culpéis a los hombres que mandan a levantar pa-
[tíbulos.
¡Piedad! ¡Piedad para todos!
Por eso ni el aire se oye sonar.
Ni una paloma pasa por el cielo.
Y hasta las paredes de este beaterio, mudos testigos,
[llorarían.

---

[a] «Con rabia y odio.»

¡Qué saben estos soldados lo que nos tocó vivir!,
¡Qué saben ni quiénes fuimos!
Si los estamos viendo temblar,
con las gargantas secas,
y brillando sus ojos como el acero de las bayonetas.
Y en el brillo se ven contenidas lágrimas.
Ay, podrían ser hijos de alguna arrecogía.
Y no hay hijo en la tierra que sepa como se mata a
                                        [una madre.

*(Todas danzan muy unidas y cantan, ahora, muy líricas
y suaves.)*

Qué día tan triste en Granada,
que a las piedras hacía llorar,
al ver que Marianita se muere
en cadalso, por no declarar.

*(Las arrecogidas quedan silenciosas, unidas, arrincona-
das. MARIANA, en el mayor silencio y dando la impresión que vive en otro mundo, se dirige a SOR ENCAR-
NACIÓN.)*

MARIANA DE PINEDA.—Sor Encarnación: la presa de
arriba tiene que bajar. *(Se miran mutuamente.)* Pida la
llave de la celda. *(No le responde.)* Pida la llave. Es la
voluntad de una condenada a muerte.

*(SOR ENCARNACIÓN hace una leve indicación a unas
monjas que se quedaron retraídas en la puerta de la
capilla. Una de estas monjas le lleva la llave a MARIA-
NA. MARIANA sube, abre la puerta de la celda y deja
salir a ROSA «LA DEL POLICÍA». MARIANA la ayuda a
bajar. Al llegar al patio, la recogen entre las demás.
Las monjas inician ahora rezos dentro de la capilla.
ROSA, sobreponiéndose, se suelta de las demás y entra
la primera. Detrás entran las otras, humilladas, ven-
cidas.)*

MARIANA DE PINEDA.—*(A SOR ENCARNACIÓN.)* Tengo
la fortaleza cristiana suficiente para no desmayar ante mi

241

condena. Si la dejaron aquí para consolarme, sobra todo consuelo. Lo que pueda ser yo, lo sabe Dios. Pero sepa, sor Encarnación, que mis esperanzas siguen siendo infinitas.

(SOR ENCARNACIÓN *hace una leve señal y los francisca-nos y la tropa se retiran.* MARIANA *se vuelve e intenta entrar a la capilla. Al verse sola, siente un vahído y se apoya en una columna del patio.* SOR ENCARNACIÓN, *que no se movió de donde estaba, y mira ir a* MARIA-NA, *con un cariño que sorprende, dice.*)

SOR ENCARNACIÓN.—Mariana.

MARIANA DE PINEDA.—*(Con intimidad.)* Encarnación...

SOR ENCARNACIÓN.—¿Puedo... ayudarte?

MARIANA DE PINEDA.—Ya va pasando. *(Cantan las monjas.)* La misa empieza.

SOR ENCARNACIÓN.—*(Con lágrimas en los ojos.)* Per-dóname, Mariana...

MARIANA DE PINEDA.—Cumpliste con tu deber. Con el deber que te impusieron. Y te agradezco que hayas sido tú la que has leído la sentencia.

SOR ENCARNACIÓN.—Lo sabía. Por eso rogué y pedí leerla yo.

MARIANA DE PINEDA.—*(Acariciándole suavemente la cara.)* Hija mía. ¿Qué sabes de tu padre?

SOR ENCARNACIÓN.—Nada. Lo que tú sabes de los tu-yos, nada. Vivimos sin saber nada. Y no duermo, como vosotras. Y hasta en el coro, en vez de cantar, maldigo...

MARIANA DE PINEDA.—¡Encarnación!

SOR ENCARNACIÓN.—Maldigo, Mariana. Y quisiera sa-lir a la calle y encerrarme en una iglesia, sin querer co-mer ni beber, y así, que pasaran días, y que llegara a oídos de Su Santidad mi rebeldía. Y que la gente se pre-guntara: ¿qué puede pasarle a esa monja que se encierra en una iglesia a morir de hambre? ¡Ha pedido tu sentencia de muerte quien fue tu mejor amigo, el fiscal don Andrés Oller!

MARIANA DE PINEDA.— ¡Mi mejor amigo!

SOR ENCARNACIÓN.—Nos han conducido a desconfiar, a mentir, a perder los grandes amores de la vida...

MARIANA DE PINEDA.—Pero yo perdono a mi fiscal. Te confesaré en secreto que muchos en Granada, para salvarse, si es que la revolución no triunfa, cosa que dudo mucho, firmarían en estos momentos mi sentencia de muerte.

SOR ENCARNACIÓN.—¿Y así puede ser la humanidad? ¿Y eso puede ser cariño a la revolución, Mariana?

MARIANA DE PINEDA.—Sí. Mucho cariño. De esta manera, ellos seguirán viviendo y podrán llegar a hacer el bien que yo, desgraciadamente, tal vez no pueda hacer ya.

SOR ENCARNACIÓN.—Dices ¿tal vez? ¡Cómo respiro!, porque yo también lo creo.

MARIANA DE PINEDA.—Confiemos.

SOR ENCARNACIÓN.—*(Con una alegría grande.)* Tu sentencia tiene que llegar al rey y tal vez puedan detener al correo por el camino. O tal vez puedan asesinar al rey mientras la firma...

MARIANA DE PINEDA.—¿Cómo puede pensar así una monjica granadina como tú? ¿Hasta la vida de recogimiento es posible que llegue a tales pensamientos? ¡Qué desengaño y qué asombro! A veces, pensé que la vida religiosa podría salvar todas las apetencias del mundo que la vida da. Hubiera querido, entonces, llegar a ser religiosa como tú. Y aislarme en esa dulzura que tiene que dar el recogimiento y la búsqueda de Dios. Pero si la búsqueda de Dios nos desengaña también... qué espanto, entonces, de pensar en la existencia humana.

SOR ENCARNACIÓN.—Es que yo llevo dentro de mí una lucha muy grande.

MARIANA DE PINEDA.—¿Y qué lucha es la tuya?

SOR ENCARNACIÓN.—La Iglesia unida al rey me enseña un sentido no puro de la vida que busco. Nunca pensé que la Iglesia pudiera hacer tanto daño con su influir en los poderosos y en los reyes. Influencia que hace víctima a nuestro pueblo [a]. Me desencanto. Por eso, hincada de rodillas delante del Santísimo, le pregunto: ¿es acaso éste el castigo, la prueba o la mortificación, Señor mío, que me das? Y el silencio, en respuesta, que escucho, después de la pregunta, me estremece y me rebela. Y entonces pienso...

MARIANA DE PINEDA.—¿Qué, Encarnación?

SOR ENCARNACIÓN.—Quitarme la toca y los hábitos y pisotearlos.

MARIANA DE PINEDA.—Encarnación, piedad. Te pido que no blasfemes.

SOR ENCARNACIÓN.—No blasfemo. Sólo pienso. Nadie puede quitarme el poder de pensar.

MARIANA DE PINEDA.—Ten humildad.

SOR ENCARNACIÓN.—(*Mirando fijamente los ojos de* MARIANA.) No puedo. ¿De qué sirve la humildad en estas condiciones, obedeciendo leyes injustas?

MARIANA DE PINEDA.—Será esta tu prueba.

SOR ENCARNACIÓN.—Pues si mi prueba es esta, mira.

(*Se va quitando la toca.*)

MARIANA DE PINEDA.—¿Qué haces?

SOR ENCARNACIÓN.—¡Seguir los mandatos de Dios!

(*Al quitarse la toca descubrió una hermosa mata de pelo. Después se desgarró los hábitos.*)

MARIANA DE PINEDA.—¡Encarnación...!

---

[a] «Nunca... pueblo.»

Sor Encarnación.—Eso. Encarnación. Que así me juzguen: Encarnación, la monja granadina que, por amor a los suyos, rasgó sus hábitos un día. Los hábitos de Santa María Egipciaca.

Mariana de Pineda.—No puedes hacer eso.

Sor Encarnación.—¡Una arrecogía más! Que me juzguen donde quieran. Diré lo que vi y lo que siento, pero prefiero morir arrecogía.

Mariana de Pineda.—(*Abrazándola.*) Encarnación de mi alma, no puedes hacer eso. Sálvate.

Sor Encarnación.—Me estoy salvando.

(*Los cantos de monjas, dentro de la capilla, subieron de tono hasta inundar todo el teatro de «la Salve». Hay un oscuro en el beaterio. En seguida se oye tocar una guitarra por alegrías. Y los taconeos de* Lolilla *y las costureras. Salen bailando y cantando por la calle, disfrazadas con otras pelucas y tapadas con mantillas, que abren y cierran con el juego del baile.*)

Lolilla:

Aquí están aquellas.
Las que sabéis.

(*Se descubren las seis y vuelven a taparse.*)

¿Nos conocéis?
Sin penas y sin quejas.
Sin rechistar
y a callar.

(*Cantando y bailando.*)

Que son la una,
que son las dos,
penas ninguna,
señor Juan de Dios.

(*Se bailotean y sale de nuevo* Lolilla *a cantar, cambiando de cante y de baile.*)

LOLILLA:

> Los campos de Ronda la vieja
> se quedaron sin caballos
> y sus jinetes pelean
> valientes y sin desmayos.

TODAS:

> Que son la una,
> que son las dos,
> penas ninguna,
> San Juan de Dios [33].
> Aquí estamos.
> Y esperamos.
> Toma ahí.
> ¡Zacatín!

*(Se vuelven a destapar mientras bailan y cantan, con unos farolillos que traen encendidos. LOLILLA enseña ahora el tafetán verde de la bandera, que va pasando de mano en mano de las costureras.)*

TODAS:

> ¿Nos veis?
> Así somos.
> Fieles
> con nuestros quereres.
> Y la vida se juega,
> sí señor,
> cuando hay que jugarla
> por amor o rencor.

*(Sale LOLILLA a cantar mientras las otras bailan.)*

LOLILLA:

> Y así estamos,
> desveladas

---

[33] «San Juan de Dios»: a partir de este verso, y hasta el final de los cantos y bailes, el texto ha sufrido profundas alteraciones. Para que el lector pueda comparar, reproducimos el antiguo texto al final de la obra. (Ver Variante I.)

en las veladas
de las fiestas granadinas.
¿Quién dijo lo contrario?
Finas
y sin descanso,
en Ronda,
en la sierra,
en las serranías,
en Bayona,
y en la tierra mora
que es aquí:
la del Zacatín.

*(Bailan y cantan ahora por tanguillos.)*

LOLILLA:
Se preguntarán
qué es este trapo verde
que viene y va.
Les responderé:
es la bandera de la libertad.
¿Qué dónde estaba?
En casa de Madam Lolilla,
la pequeñilla,
la que veis bailar.
¿Que qué pasó?
que la bandera estaba,
no en la casa
de doña Mariana,
como dijo el tal Pedrosa,
¡vaya una cosa!,
sino cogía,
manchá
y besá,
no sólo por los besos
de Lolilla y sus costureras,
las que hicieron
en nombre de todos
esta bandera
que tanto cogieron
las costureras y los demás.

*(Todo cambia ahora en un arrebato de furia. Salmo-dian casi en grito.)*

TODAS:

> ¡Mariana no bordó ninguna bandera!
> y como fieras
> celamos,
> acechamos,
> pregonamos
> a los cuatro vientos,
> que la solución
> es la revolución
> que se espera.

*(LOLILLA baila ahora triunfal con el tafetán verde alzado entre las manos, mientras las otras cantan.)*

TODAS:

> Lolilla,
> costurera realejana,
> cómo brilla
> la alegría entre tus manos.
> ¡Alegría,
> arrecogías,
> que velamos,
> que acechamos!
> Zacatín arriba,
> Zacatín abajo.
> Penas ninguna,
> que dieron la una,
> que dieron las dos,
> que mira Frasquito
> sentándose al sol.
> Zacatín arriba,
> Zacatín abajo.
> La cabeza alta
> y mucho desparpajo.

*(Se metieron dentro cantando y bailando. La guitarra y el palmoterío siguen, fundiéndose ahora con las*

*palmas que toca* Chirrina «La de la Cuesta» *que, dentro del beaterio, parece que siguió los compases de las tapadas. Se iluminó de nuevo el Beaterio de Santa María Egipciaca, está dando el sol de pleno.*
*Son las tres de la tarde de aquel mismo día de Corpus Christi. La puerta de la capilla está abierta de par en par. Las tres arrecogidas de arriba siguen en la celda común.* Mariana *y las demás arrecogidas de abajo, están en distintos lugares. Vemos a* Eva «La Tejedora» *sentada en un poyete, junto a* Mariana, *pensativas ambas.* Chirrina «La de la Cuesta» *se toca las palmas y se bailotea por bajines, junto a una portezuela que conduce arriba, disimulando que está al acecho de algo; a su lado está* Concepción «La Caratauna», *inquieta.* D.ª Francisca «La Apostólica» *está en su celda, acicalándose. Las tres arrecogidas de arriba también se ven inquietas, nerviosas.* Paula *y* Rosa *van y vienen, paseándose.* Aniceta *lava ropa blanca en un lebrillo. Se ve tan nerviosa como las demás, aunque disimula.* Carmela «La Empecinada» *lava también ropa blanca en los bebederos junto a* Chirrina; *lava y vigila más que ninguna.* Rita «La Ayudanta» *no está.*)

Carmela «La Empecinada».—Vaya gotas de sudor. Hasta por el canal de las tetas me caen.

Aniceta «La Madrid».—Pues yo, ya lo veis, ni que sea Corpus ni que no sea lavo porque fui muy limpia siempre. Y no me quejo. ¡Pues no lavé yo ropa en el río Manzanares! Y no me quejé nunca. Y sudo lo que tengo que sudar, como siempre sudé.

Carmela «La Empecinada».—¿Y el tendedero, qué?

Aniceta «La Madrid».—¿Te parece poco tendedero los barrotes de esta jaula?

Chirrina «La de la Cuesta».—(*Que no deja de palmotearse.*) O las ramas de los limoneros, así la ropa olerá a limón.

Carmela «La Empecinada».—Si al menos se pudiera tender en la torre.

Aniceta «La Madrid».—(Señalando a la celda de D.ª Francisca.) ¿Quién lavará a la de la peluca francesa los harapos?

Chirrina «La de la Cuesta».—(Irónica.) Tiene lavandera particular.

Carmela «La Empecinada».—Pues desuello esta ropa en los bebederos y la retuerzo así (la retuerce) como a algunas quisiera retorcerle el gaznate.

Chirrina «La de la Cuesta».—Que salta el agua.

Carmela «La Empecinada».—Así te bañas, que calor hace. Ay, qué gotas de sudor me caen. ¿Quién diría que estamos en el mes de mayo? (A Chirrina.) ¿Quieres dejar de tocar esas palmas?

Chirrina «La de la Cuesta».—¿Le molesta a la señora? Menudo palmoterío llega de la feria.

Rosa «La del Policía».—(Que sigue en su nerviosismo, pregunta asustada.) ¿Bajó ya?

Carmela «La Empecinada».—¿Quién? Pero, ¿dé quién habla aquélla? (A Chirina.) Coge la ropa de estos picos, que vamos a tender.

Chirrina «La de la Cuesta».—(Antes de cogerla, sigue tocándose las palmas; cuando la coge, se canturrea.)

Carmela «La Empecinada».—(Al acercarse Chirrina le pregunta en secreto.) ¿Qué?

Chirrina «La de la Cuesta».—(Contesta en el mismo secreto.) Muchos menos.

(Sigue tocándose y canturreándose y bailándose y, así, se acerca a Mariana y a Eva y les dice en el mismo secreto.)

Muchos menos. (Cantando.) «Toma ahí, porque sí.»

No sé cómo podéis estar sentadas en ese poyete, con tanto sol cayendo de plano. Y la puerta de la capilla sin cerrar. Y la lámpara del Santísimo encendida.

CARMELA «LA EMPECINADA».—Abierta como la dejamos. Alguna sentirá arrepentimiento, digo yo. Y volverá a entrar a pedir.

D.ª FRANCISCA «LA APOSTÓLICA».—(Saliendo.) En la Constitución se juró que la religión de España sería siempre la católica.

CARMELA «LA EMPECINADA».—¿No veis? Está en todo. Qué gana tengo de meterle mano. Y parecía que se estaba rizando los caracoles de la peluca.

D.ª FRANCISCA «LA APOSTÓLICA».—(Sin hacerle caso.) Sí. Eso se juró. Y si yo pudiera hablar a cabezas, como son algunas de las vuestras, hablaría.

CARMELA «LA EMPECINADA».—(Burlándose e irritada.) Pues no hables tanto. Y lávate la ropa si eres tan liberal. Quién fuera su señoría para no tener que lavar.

D.ª FRANCISCA «LA APOSTÓLICA».— ¿Lo veis? «Quién fuera su señoría», ha dicho. Las pobres de España están siempre deseando ser ricas. Esos son sus únicos sueños por los que no saben ni luchar.

CARMELA «LA EMPECINADA».—(En un arranque.) Que le tiro esta ropa a la cabeza.

CHIRRINA «LA DE LA CUESTA».—(Sujetándola.) ¡Carmela!

CARMELA «LA EMPECINADA».—Si es que da coraje.

D.ª FRANCISCA «LA APOSTÓLICA».—Coraje, ¿de qué?

CARMELA «LA EMPECINADA».—Pero mírala ahí, chiquilla, ¿no ves? Qué buena arpía. Siempre está de punta como una escopeta.

D.ª FRANCISCA «LA APOSTÓLICA».—Es que está muy mal hecho lo que habéis hecho.

CARMELA «LA EMPECINADA».—¿Qué es lo que está mal hecho?

D.ª FRANCISCA «LA APOSTÓLICA».—Ese salirse a destiempo de la capilla; ese no querer confesar y no tomar la Sagrada Comunión. Esa humillación y ese abuso que habéis cometido con las pobres monjas de este beaterio.

PAULA «LA MILITARA».—(*Que estaba oyéndolas y sin poderse contener.*) Es que viendo lo que vemos, preferimos morir en pecado mortal antes de confesarnos en esa capilla. Hasta confesándonos, podrían traicionar nuestra confesión. Cualquiera perdería la fe. No comprendo ese catolicismo. Quieren salvarnos con la Comunión y nos condenan al mismo tiempo. ¿Pero qué modo es este de entender?

CARMELA «LA EMPECINADA».—(*Irritada.*) No he querido confesar porque me hacen cumplir una orden injusta, como dice aquella de lo alto. Y esto tiene que arreglarse. Y a las pobres, como tú nos llamas, no se nos mete esto en la cabeza. Digo yo, que algún día habrá salida para arreglar las cosas.

CHIRRINA «LA DE LA CUESTA».—(*A D.ª FRANCISCA.*) ¿Qué querías? ¿Que confesáramos? ¿Se puede confesar con gente que se hace partícipe de la condena de seres inocentes?

D.ª FRANCISCA «LA APOSTÓLICA».—Eso es tergiversar los pensamientos. Por esos tergiversamientos, nos vemos donde nos vemos. No sabemos cumplir ni leyes humanas ni divinas. Ni entenderlas. Hace falta una claridad y una humildad grande para comprender.

CARMELA «LA EMPECINADA».—(*Acercándosele rebelde.*) Las humanas no existen. Las divinas no son cumplidas por los humanos que deben cumplirlas. Y ha llegado el momento de no creer en nada, y más aún cuando vemos que los que deben creer no creen. Todo el mundo pacta con la mentira. Se vive como si Dios no existiera, aunque se presuma de lo contrario.

D.ª Francisca «La Apostólica».—¿Qué tiene que ver todo eso que dices con tu conciencia? ¿Acaso cuando viste morir al Empecinado no te acordaste de Dios?

Carmela «La Empecinada».—Me acordé. Y me acuerdo a solas, porque soy creyente de verdad. Dentro de la iglesia es donde menos puedo acordarme. Imposible el recuerdo.

*(En estos momentos, unas monjas cruzan muy nerviosas, aunque conteniendo sus nervios; las arrecogidas callan y las ven cruzar.)*

Chirrina «La de la Cuesta».—Así andan.

Concepción «La Caratauna».—Y peor andarán.

Carmela «La Empecinada».—¿Qué sabes?

Concepción «La Caratauna».—Lo que sabéis.

Rosa «La del Policía».—*(En el mismo estado anterior.)* ¿Bajó ya?

Carmela «La Empecinada».—Contente y calla de una vez, Rosa.

Rosa «La del Policía».—¿Por qué he de callar? Si todo está visto como la luz del día.

Chirrina «La de la Cuesta».—*(Bailando y cantando para interrumpir la tensión nerviosa creada.)* «Alegría, que dieron la una, que dieron las dos.» *(Así se va acercando a la puerta del rastrillo, para decir triunfante.)* ¡Menos!

*(Mariana, Eva y las demás se acercan también, con disimulo, a la puerta del rastrillo.)*

Chirrina «La de la Cuesta».—¿Lo ves, Mariana?

Mariana de Pineda.—Lo veo.

Chirrina «La de la Cuesta».—*(Triunfante.)* Los están acuartelando. Los balazos que sonaron antes, han hecho que los estén acuartelando.

Rosa «La del Policía».—(*En su obsesión.*) Que baje esa mujer ya.

Carmela «La Empecinada».—Taparle la boca a esa. (*A* Chirrina *para despistar.*) Y a ti te digo que no sonaron balazos, que fueron cohetes de la feria.

Eva «La Tejedora».—Yo también los oí: eran balazos porque me zumbaban los oídos y el eco se perdía por el río. Os juro que sonaron balazos.

(*Vuelven a pasar unas monjas aprisa.*)

Carmela «La Empecinada».—¿A dónde irán?

Chirrina «La de la Cuesta». A la sala de visitas.

Carmela «La Empecinada».—¿Cómo sabes eso?

Chirrina «La de la Cuesta».—¿Es que estoy aquí por gusto? Mirar al fondo, a la puerta aquella que tanto se abre y se cierra.

Carmela «La Empecinada».—Esa puerta no da a la sala de visitas.

Chirrina «La de la Cuesta».—Da. Y estoy segura que el Vicario y los curas de la Curia han venido a hablar con ellas. Conozco las voces de los curas que confiesan y echan sermones en el púlpito de la Catedral. Y he oído bien esas mismas voces.

Eva «La Tejedora».—(*Intentando acariciar a* Mariana, *poniendo una mano en el hombro de ésta.*) Mariana...

Mariana de Pineda.—(*Aparentando serenidad.*) No temas.

Eva «La Tejedora».—Pero di algo. Necesito oír un consuelo tuyo.

Mariana de Pineda.—Hay que esperar.

Eva «La Tejedora».—Ni yo puedo vivir. No sé cómo puedes vivir tú, con esa serenidad.

254

Mariana de Pineda.—Confiando. Todo llegará donde ha de llegar.

Carmela «La Empecinada».—(*Enfrentándose a* Mariana.) Di lo que sea, porque hasta yo, que no temblé nunca y que hice las guerrillas, tengo un temblor dentro de mí, que me va a matar.

Mariana de Pineda.—¿Puedo yo saber lo que pueda pasar? Sólo sé que tengo fe.

Carmela «La Empecinada».—(*Rabiosa.*) ¿En qué?

Mariana de Pineda.—En la espera.

Carmela «La Empecinada».—La espera mata los nervios de cualquiera. No sé qué puedan intentar esas monjas con tanto pasar y cruzar.

Mariana de Pineda.—Tienen el mismo miedo que tú.

Rosa «La del Policía».—(*En su estado casi delirante*). ¿Bajó ya?

Mariana de Pineda.—Eso esperamos. Pero calla. Si saben que subió a la torre para ver y contarnos después, no la dejarán subir nunca más. Perderá la confianza de las monjas y ya no contará nadie con Rita «La Ayudanta».

Rosa «La del Policía».—(*Con profundo rencor.*) Bueno, callo. Callo.

(*Se pasea, como* Paula «La Militara» *casi perdiendo el control de los nervios, como fiera hambrienta.*)

Eva «La Tejedora».—Sí, es cierta una cosa: que hay menos centinelas que ayer y que esta misma mañana.

Mariana de Pineda.—Cierto. Pero también llega, de pronto, un silencio que sobrecoge. Y lo que dice Chirrina es cierto: aquella puerta es la de las visitas y hubo muchas en estas cinco horas que pasaron.

Concepción «La Caratauna».—¿Te refieres a las cinco últimas horas que pasaron?

MARIANA DE PINEDA.—Me refiero a las cinco últimas horas que falta de aquí Sor Encarnación.

CONCEPCIÓN «LA CARATAUNA».—Es verdad. No la vi pasar ni cruzar. Ni entrar en la capilla.

EVA «LA TEJEDORA».—¿Y esto qué es? *(Descubre la toca.)* Una toca tirada. *(La huele.)* ¿Acaso la toca de Sor Encarnación? *(Nadie responde.)* ¿Qué ocurrió, Mariana? ¿Por qué no entró en la capilla?

MARIANA DE PINEDA.—No sé. No sé. Yo no sé cómo es nadie. Dejarme y no crispéis mis nervios, que tengo que pensar. Que quiero tener valentía para pensar. Que no quiero derrumbarme en estos momentos. Que no quiero ser débil en ningún momento.

CONCEPCIÓN «LA CARATAUNA».—*(Apoderándosele un terror.)* Tú lo sabes, Mariana, y no quieres decirlo por piedad. Pero sabes que la revolución habrá empezado y que en venganza nos matarán a todas juntas, sin juzgarnos, como no te juzgaron a ti. Di, Eva, los ruidos que has escuchado esta madrugada.

EVA «LA TEJEDORA».—No oí ningunos ruidos. Se terminó la feria; serían las dos y no oí ni cantar a nadie. Ni a borrachos pasar por las calles.

CONCEPCIÓN «LA CARATAUNA».—Sí oíste. No mientas.

EVA «LA TEJEDORA».—Pero si no puede ser. Mis sospechas no son claras. Están muy lejos de aquí las Explanadas del Triunfo.

CONCEPCIÓN «LA CARATAUNA».—Pero tu oíste como si hombres con carros pasaran por delante de esta puerta acarreando bestias, a eso de las cuatro de la mañana, y dijiste que cayeron tablas de los carros al suelo porque una bestia se ringuió [34] de tanto peso. Las tablas las llevaban hacia la calle Reyes, camino de las Explanadas del Triunfo.

---

[34] *ringuió*: voz popular, por derrengarse.

Eva «La Tejedora».—*(En su terror.)* Estoy muy nerviosa y no sé lo que digo. Y ni quiero comer. No puedo ni comer. Me estoy poniendo enferma. No os volveré a contar nada. Son mis oídos que oyen lo que no existe. Creo que hay peligro donde no hay. Esto es debido a mis trastornos propios de enferma.

Chirrina «La de la Cuesta».—*(De pronto.)* Callad.

Eva «La Tejedora».—¿Qué?

Chirrina «La de la Cuesta».—Baja.

*(Todas se aproximan y se apiñan en la portezuela que conduce a la torre para ver bajar a Rita «La Ayudanta». Ésta baja con una canasta de ropa blanca. No habla. Mira a unas y a otras y hay un gran silencio. Todas miran puertas y ventanas. No ven a nadie. Mariana coge a Rita y la lleva aparte, y le pregunta casi en un susurro.)*

Mariana de Pineda.—Di.

Rita «La Ayudanta».—*(Desconfiando.)* Poco puedo decir.

*(Todas vuelven a mirar a unos lados y a otros. Rita va sacando la ropa de la canasta.)*
¿Me ayudáis a doblar la ropa?

*(Todas van. La escena toma tonos aún más misteriosos.)*

Mariana de Pineda.—*(Mientras dobla la ropa con ella.)* ¿Qué?

Rita «La Ayudanta».—*(Mira a D.ª Francisca. D.ª Francisca le sostiene la mirada, le brotan entonces unas lágrimas que deja caer. Todas se dieron cuenta. D.ª Francisca se seca las lágrimas. Eva vuelve a mirar, misteriosamente, a unos lados y a otros, disimulando doblar la ropa.)* La iglesia de San Antón está acorralada por la tropa.

MARIANA DE PINEDA.—*(En el mismo tono de terror y misterio.)* ¿Qué estás diciendo?

RITA «LA AYUDANTA».—He podido oír lo que pasaba.

*(Todas doblan la ropa, disimulando, pero alertas a lo que dice RITA.)*

MARIANA DE PINEDA.—Dinos, por Dios.

RITA «LA AYUDANTA».—Sor Encarnación se encerró en esa iglesia. Otras mujeres, al saberlo, se encerraron con ella. Son veinte mujeres las que se han encerrado. Eso oí. Alguien que pasó por la calle lo dijo adrede para que lo oyera. Y desde la torre de la casa de enfrente, una mujer me tiró este papel, atado con una piedra. Tiene el papel un escrito, como no sé leer, no sé qué dice.

MARIANA DE PINEDA.—¿A ver? Trae. *(Lo lee.)* «Veinte mujeres se encerraron en la iglesia de San Antón dispuestas a morirse de hambre, con Sor Encarnación al frente, y no saldrán de allí sino asesinadas o muertas por el hambre.» *(Besando el papel.)* Benditas sean las manos que escribieron este papel y benditas Sor Encarnación y las mujeres valientes.

RITA «LA AYUDANTA».—La tropa acorrala la iglesia. Por eso faltan centinelas.

MARIANA DE PINEDA.—No hay por qué temer.

RITA «LA AYUDANTA».—Hay más.

MARIANA DE PINEDA.—Dime.

RITA «LA AYUDANTA».—Unos hombres han formado una barricada en la Puerta Real, junto al portón de una casa. Los vecinos han bajado colchones, sillas, mesas y están haciéndole frente a la tropa. Y nadie se atreve a disparar.

EVA «LA TEJEDORA».—*(Abrazándose a MARIANA.)* ¡Mariana!

Mariana de Pineda.—Calma. Ahora más que nunca, calma. La victoria puede ser nuestra si sabemos contenernos hasta la hora justa. Porque *(Se tapa la cara con las manos.)* ¡Ay Dios!, pudieran venir refuerzos de otros lugares.

Eva «La Tejedora».—¿Dónde vas, Mariana?

Mariana de Pineda.—A la capilla. Necesito a Dios.

Concepción «La Caratauna».—*(Abrazándose a Mariana.)* Están ahí. Nadie morirá.

D.ª Francisca «La Apostólica».—*(Interponiéndose en el camino de* Mariana *con gran esperanza.)* Nadie morirá, Mariana.

Mariana de Pineda.—*(Cogiendo a unas y otras con cariño.)* Serenidad.

D.ª Francisca «La Apostólica».—La tengo.

Eva «La Tejedora».—*(Yendo también a abrazar a* Mariana.*)* Tengo hasta la garganta seca por el mucho miedo; pero nadie morirá.

Carmela «La Empecinada».—*(Interponiéndose violenta.)* ¿Cómo puedes entrar a esa capilla, donde entran los cómplices de los que quieren asesinarnos? Dices que necesitas a Dios. ¿Es que dudas?

Mariana de Pineda.—Se duda siempre. Se duda aún hasta cuando está la muerte delante de nuestros ojos.

Carmela «La Empecinada».—Sabes mucho más que nosotras. Se ve en tus ojos, de pronto, una alegría y hasta una emoción que me extraña. Y tus labios están secos de emoción. Y tus manos *(las tienta)* tienen un sudor frío...

Mariana Pineda.—Déjame pasar.

Carmela «La Empecinada».—*(Interponiéndose más al paso.)* No te dejo. Porque el rato que estés en esa

259

capilla, estaremos sufriendo. Algo esperabas que te hace tener ese gozo que se te ve. Dinos qué.

(*Se miran.* CARMELA *mira a las demás que están expectantes.*)

MARIANA DE PINEDA.—(*Con humildad y encanto.*) Él... tiene que estar en Granada...

CARMELA «LA EMPECINADA».—¿Él? ¿Quién es él?

MARIANA DE PINEDA.—El más grande héroe de la guerra de la Independencia. El más grande héroe de la libertad.

CARMELA «LA EMPECINADA».—¿Quién es?

MARIANA DE PINEDA.—El capitán Casimiro Brodett. Él lleva adelante la revolución y el gobierno que ha de venir. Él y muchas tropas de España juntas.

CARMELA «LA EMPECINADA».—¡Era!

MARIANA DE PINEDA.—Es la salvación. (*De pronto parece desfallecer.*)

CARMELA «LA EMPECINADA».—¡Cogerla conmigo!

MARIANA DE PINEDA.—(*Se recupera.*) Ya pasó. Dejarme entrar. ¿Veis? Tranquila. Con los pasos firmes.

(*Entró en la capilla y en seguida se amotinan todas con gran revuelo.*)

ANICETA «LA MADRID».—Por eso pasan y cruzan las monjas descompuestas.

EVA «LA TEJEDORA».—(*Que no sale de su asombro.*) Se fue Sor Encarnación...

CONCEPCIÓN «LA CARATAUNA».—Mariana lo sabía y no habló.

ROSA «LA DEL POLICÍA».—¡Quién pudiera en estas horas encañonar un fusil!

PAULA «LA MILITARA».—¡Quién pudiera estar en la iglesia con las veinte!

ROSA «LA DEL POLICÍA».—Yo bien lo sabía y lo dije. Es nuestra. Encarnación la del guerrillero es nuestra.

CHIRRINA «LA DE LA CUESTA».—Benditas sean las granadinas que tan valientes saben encerrarse en las iglesias.

CARMELA «LA EMPECINADA».—Y benditos sean los hombres valientes de Granada. (A D.ª FRANCISCA.) ¿Qué dices ahora?

D.ª FRANCISCA «LA APOSTÓLICA».—Lo que quisiera decir me lo guardo. Me lo guardo. Pero entérate bien: (mascullante) sé manejar el fusil mejor que vosotras. Tuve maestros de caza que me enseñaron el manejo del fusil. Y si Dios hubiera hecho el milagro de que yo me encontrara entre esas veinte mujeres, haría frente a un ejército. Para eso me sirvió y me fue útil el dinero. No hay paloma que pase por este cielo a quien yo disparara y fallara mi puntería. Pero me habéis de ver por las calles de Granada, utilizando mi maestría en el arte de matar.

CARMELA «LA EMPECINADA».—(Endemoniada.) Dinos ya, aristócrata. ¿Por qué estás aquí?

D.ª FRANCISCA «LA APOSTÓLICA».—(Respondiendo con brío.) Yo también me muerdo la lengua y no delato a quien aquí me trajo. Pero confórmate con esto: me trajo un conde, capitán general de los ejércitos del rey. Un conde que juró también la Constitución del año doce. Un conde que ama la libertad como la amáis vosotras, como la amo yo. Un conde que no puede hablar sobre lo que siente, pero tiene que seguir donde está. En cambio yo, por amor a él, hablé delante del rey lo que él ni nadie se hubiera atrevido a hablar. La nobleza también sabe rebelarse.

CARMELA «LA EMPECINADA».—Cuando no tiene dinero, como tú. Cuando quiere más dinero. Que tu dinero lo tiraste en lujos, que estabas arruinada.

D.ª Francisca «La Apostólica».—Tan arrecogía soy como tú, que voy a hacer lo que esperas.

(Se abalanza al cuello de Carmela. Luchan, y Chirrina las separa.)

Chirrina «La de la Cuesta».—¡Quietas! ¡Y callad! (Silencio.) Que salen. (Todas se aproximan a espiar en la puerta del rastrillo.) ¿Veis, la Curia?

Eva «La Tejedora».—Juraría que quieren llevar a la monja a la Inquisición.

Aniceta «La Madrid».—No se atreverán. El escándalo sería grande.

Chirrina «La de la Cuesta».—Lo sabría todo el mundo. Y los ánimos revolucionarios tomarían más vuelos.

Paula «La Militara».—Y el extranjero hablaría también.

Rosa «La del Policía».—Y Roma. El Santo Padre de Roma. Y eso es muy peligroso.

D.ª Francisca «La Apostólica».—Los católicos tendrían que juzgar a una monja católica que se rebela en contra de los mismos católicos de España.

Chirrina «La de la Cuesta».—(A Rita.) Dame la llave de la torre.

Rita «La Ayudanta».—Imposible. Me matarían. Se terminaría el poco consuelo que puede traeros.

Chirrina «La de la Cuesta».—Pero no podemos estarnos aquí quietas. Que me des la llave.

Aniceta «La Madrid».—Eso es una locura. Hay que esperar.

Rosa «La del Policía».—(Paseándose nerviosa.) Esperar. Esperar. Esperar.

PAULA «LA MILITARA».—Hasta salió el sol con más brío que nunca.

ROSA «LA DEL POLICÍA».—¡Veinte mujeres unidas!

PAULA «LA MILITARA».—En plena luz del día.

CONCEPCIÓN «LA CARATAUNA».—Oigo pasos.

EVA «LA TEJEDORA».—Yo también.

CONCEPCIÓN «LA CARATAUNA».—Son pasos cansados.

CHIRRINA «LA DE LA CUESTA».—Callar todas.

*(Silencio.)*

PAULA «LA MILITARA».—De un momento a otro pudieran empezar a...

CHIRRINA «LA DE LA CUESTA».—Calla. Los pasos se encaminan hacia aquí.

EVA «LA TEJEDORA».—Sí.

*(Intentan espiar más.)*

ANICETA «LA MADRID».—¿Quién es?

CHIRRINA «LA DE LA CUESTA».—Un soldado solo.

PAULA «LA MILITARA».—¿Un soldado solo?

CHIRRINA «LA DE LA CUESTA».—Solo.

EVA «LA TEJEDORA».—*(Asombrada.)* Y desarmado...

CONCEPCIÓN «LA CARATAUNA».—*(Asombrada.)* Y ensangrentado... ¡Dios mío!

*(Se van retirando de la puerta, asustadas, dando pasos hacia atrás.*
*Vemos entrar a un militar casi moribundo, ensangrentado, con las manos atadas, jironada la ropa, arrancadas las insignias de la guerrera. No podemos distinguir su clase militar. La cara tampoco se le distingue bien, herida, tostada por el sol, sudorosa, con los cabellos*

*cayendo por la frente hasta cerca de los ojos. Sin
embargo, podemos observar la presencia de un militar
arrogante, fuerte y todavía joven. Al llegar al quicio
de la puerta, se echa sobre la pared y mira con gran
cansancio todo: la celda común de arriba, las celdas
de las caballerizas, los limoneros, el empedrado.*

*En estos momentos las monjas salen, fisgonean a unas
y a otras de las arrecogidas, buscando a* MARIANA.
*Una, aprisa, mira dentro de la capilla.*

MARIANA *sale y ve al militar que llega. Y quiere como
reconocerlo y no puede. De pronto, parece que lo
reconoce y ahoga una emoción, que sabe bien contener.*

*Las monjas, cumpliendo una orden que fácilmente
puede apreciarse, entre leves murmullos y balbucientes
palabras de «Vamos, vamos», van arrinconando a las
arrecogidas hasta llevárselas del patio por una de
aquellas puertas, e igualmente ocurre con las arrecogidas de arriba, pues salieron monjas por una puerta
trasera y se las llevaron de la celda común. Las arrecogidas, antes de salir, estuvieron viviendo entre un
terror y un desconcierto, sin saber qué hacer. Al salir,
el silencio se hace estremecedor en el beaterio.*

MARIANA *se va acercando al militar. El militar ni
puede apenas mirarla. Tiene los labios entreabiertos
y secos.* MARIANA, *al llegar, le acaricia suavemente la
frente, la cara y los labios, los brazos, mirando y
mirando. En el mayor asombro, cariño y misterio le
pregunta:)*

MARIANA DE PINEDA.—¿Quién eres? (*El militar no
responde.*) ¿Quién eres? (*El militar con la cabeza, hace
un gesto de cansancio.*) Ya veo. Estás cansado y tienes
sed. Te daré agua.

(*Coge un cazo y lo llena de agua y le da de beber. El
militar bebe, al parecer, sediento.*)

¿De qué ejército eres? (*El militar no responde.*) ¿Eres
acaso soldado? (*Lo va analizando.*) ¿Soldado? Arranca-
ron tus graduaciones, se ve claro. Destrozaron los puños

y las hombreras de tu guerrera. (*Acaricia puños y hombre-*
*ras.*) ¿De dónde vienes?

(*El militar, sin responder, va entrando, se detiene en
el centro del patio y alza la cabeza, mirando a un
lado y a otro.* MARIANA *lo sigue.*)

¿Qué puedo hacer por ti? (*El militar tiene la mirada
perdida y no responde.*) ¿Qué esperan que pueda hacer
por ti? (*Ha dicho esto con intención. Después, ha sentido
un terror y se pone delante del militar.*) Quiero ver tu
lengua.

(*El militar, apenas sin poder, entreabre débilmente,
la boca. Mariana dice en el mayor dolor y asombro.*)

¡Quemada!

(*Va cayendo, en el mismo dolor, abrazada al militar,
hasta seguir abrazando sus piernas, mientras cayó al
suelo. El militar, con gran esfuerzo, intenta acariciar
la cabeza de* MARIANA.)

No puedes tú, pero te acaricio yo. (*Entre suaves lágrimas.*) ¿No me ves? (*Lo está acariciando con la cabeza.*)
Y beso tu uniforme que huele a tierra, a tu sudor, a tu
sangre, a tu cuerpo. Huele a ti, mi amor...

(*El militar hace el esfuerzo de querer hablar, no puede
y siente espanto.*)

No. Es mejor así, de nada sirve ya lo que me dijeras.
Y si oyera tus palabras, mis gritos clamarían al cielo.
Y hay que contenerse y morir, si es preciso, conteniéndose mucho. Sólo la tierra y yo. Sólo la tierra y tú, pero
juntos los dos en la tierra. Mi capitán, lucero de mi
vida. (*Le besa las manos, los brazos, la frente.*) Los labios no. No. Pudieran mis labios hacer daño a los tuyos.
(*Desconfiada, mira a un lado y a otro del beaterio, intentando descubrir el espionaje.*) Habrá un fusil encaño-
nando a través de cada boquete del beaterio. Así es de
grande el temor que te tienen, por lo valiente que siempre fuiste. (*Acariciándole las manos.*) Pobres manos ata-

das y sin defensa. Manos que fueron mías. Estas manos que tanto sintieron el temblor de mi sangre cuando me acariciaban. Están ardiendo, como si tuvieran fuego. El fuego de la vida que derramas. Adivino la traición. (*Vuelve a mirar todo el rededor, sintiendo el deseo de desafiar.*) Pero nada lograrán. (*Le coge la cara y mirándolo fijamente le dice casi en un susurro.*) Nuestro amor irá a la tierra como vino, en el mayor de los secretos, sin descubrirlo a nadie, para hacerlo más nuestro. Héroe mío. (*El militar acaricia ahora, con la cara, la cara de* MARIANA.) Que nadie crea que destruyó al héroe que eres. Al contrario, más héroe te hicieron al traicionarte. No te vencieron. Ni te vencerán.

(*El militar vuelve a intentar hablar y lanza como un sonido gutural.* MARIANA *le pone los dedos en los labios, suavemente y dice con cariño.*)

Sé lo que quieres preguntarme. Pero ni sé yo dónde está. Y me da tanto miedo hablar de él, que ni lo nombro. Lo guardo tan dentro de mí, que apenas sabe nadie de nuestro hijo, de tanto temor como tengo de que le hagan el daño que han podido hacerte a ti... (*El militar queda pensativo.*) ¿Qué piensas? Quiero mirarte mucho, para poder adivinar lo que puedas pensar, aunque nunca me hicieron falta tus palabras para saber de ti. (*El militar derrama unas lágrimas.*) ¡Dios! (*Se tapa la cara.*) Cómo no será tu daño, que Casimiro Brodett, el capitán, el héroe de la Independencia, derrama unas lágrimas, cosa que nunca vi en tus ojos, ni aun cuando saliste a las puertas de Burgos a darme el último adiós, el día que tuve que alejarme de ti para siempre.

(*Casimiro Brodett parece que desespera, quiere volver a intentar hablar y lanza unos sonidos llenos de angustia.*)

¡Piedad para ti! No esfuerces tu garganta y tu lengua. No me dejes en el sufrimiento de verte en la tortura de no poder hablar. Sé que ni mis cartas llegaron a tus manos, porque a las mías tampoco llegó ninguna tuya, pero la gente me traía tus palabras. Y sé que quieres saber de mí no por lo que te dijeron, sino por lo que yo te diga. Pero ya no me importa hablar con tal de consolarte.

CASIMIRO BRODETT.—(*Niega con la cabeza intentando que* MARIANA *no hable.*)

MARIANA DE PINEDA.—(*Empezando a tener cierto desequilibrio.*) Sé que no necesitas consuelo. Que las palabras te sobran. Y qué fuerza tiene todavía tu sangre que puedes sentir esos arranques tan valientes. Pero ¿quieres que te hable?

(CASIMIRO BRODETT *queda a la expectativa, casi conteniendo la respiración.*)

¿Quieres saber de mí? (*Silencio.*) ¿Quieres saber de mí por mí misma, desde el último adiós que me diste a la salida de Burgos?

(*Pierde la serenidad, se separa de* CASIMIRO, *mira a unos lados y a otros del beaterio y desafía, como la que está cierta de que la están escuchando.*)

¡Le habéis traído por eso! ¡Asesinos! ¡Lo habéis traído moribundo, con la lengua quemada, para que Mariana de Pineda hable, al ver el mayor mundo de su vida derrumbado!

(CASIMIRO BRODETT *jadeante y casi enloqueciendo se acerca a* MARIANA, *intentando hablar, echando espumarajos por la boca y colocando la cabeza en el hombro de* MARIANA, *para impedir que ella hable.*)

(*Le coge la cabeza, en el mismo estado de valentía y desafío, nerviosa y desequilibrada.*) Mi amor. Van a saber una historia más para sus remordimientos y sus propias condenas.

(CASIMIRO BRODETT *niega con más fuerza.* MARIANA *lo rehúye, se adelanta y dice desafiando a unos lados y otros del beaterio.* CASIMIRO BRODETT, *en un*

*impulso de cólera, cae al suelo y golpea con los puños,*
*intentando impedir la confesión de MARIANA.)*

*(Desafiante y con orgullo.)* Sabed que los políticos del
rey, y el rey, quisieron que el capitán Casimiro Brodett
renunciara a sus ideas liberales antes de casarse conmigo. Y fui yo, yo, Mariana de Pineda, quien me negué a
casarme con el hombre que quería, antes de que él renunciara a sus ideas Y consentí ser su amante y no su
esposa. Y me tuve que ir de Burgos, como una ramera,
cuando el ejército se enteró de que yo era la amante de
Casimiro Brodett. Quiso seguirme y renunciar al ejército,
pero le hubiera despreciado entonces para siempre, porque tenía que quedar allí, en su puesto militar, defendiendo ese uniforme que trae destrozado, pero en ese
destrozamiento está su mayor gloria.

*(Se tira al suelo y cogiéndole la cara a CASIMIRO en*
*un estado de desesperación, le sigue diciendo.)*

Y en este sudor, y en esta sangre. No hay amor tuyo ni
mío que tenga la grandeza de tu resistencia, de tu uniforme roto, y del sudor y la sangre que dejas en las
piedras de este beaterio. *(Seca el sudor y la sangre, muy*
*nerviosa, con las mangas de su vestido.)* Y las seco. Así.
Y la beso. Que tu sangre quede en mi vestido. Y la llevaré conmigo a la muerte. Así moriré contigo. *(Lo coge*
*entre sus brazos, en el mismo estado.)* ¿Sabes qué hizo
después en Granada, aquella Mariana de Pineda, ramera que llegó de Burgos?

*(CASIMIRO BRODETT, en un nuevo impulso, logra sol-*
*tarse de los brazos de MARIANA, signo de no querer*
*saber, y cae de bruces al suelo, cubriéndose los oídos*
*con los brazos.)*

¿Sabes ,qué hizo? Me refugié en la mayor soledad, para
sentir el mayor de los consuelos, salvando a los demás.
*(Se levanta y vuelve a desafiar con gran ira.)* Era una
manera de consolarme, uniéndome al dolor de aquellos
que sufrían como yo. *(Silencio. En su desafío da, ahora,*
*unos pasos.)* Y abrí los salones de mi casa para dar gran-

des fiestas a los políticos de Granada. Y después de aquellas fiestas, abría las puertas de mi dormitorio a los políticos y a la nobleza, para traicionarlos. ¿Queréis saber nombres? *(Silencio.)* Repito que si queréis saber nombres. *(Silencio.)* Si esto queréis saber, repasar la lista de vuestros propios capitanes generales, de vuestros condes y duques, de vuestros políticos, de todos aquellos que metí entre las sábanas de mi cama para que me firmaran pasaportes falsos, para que me dieran planos de cárceles. Y salvé a todos los presos que quise. Y huyeron a los campos de Bayona y de Gibraltar. ¡A cambio de mi cuerpo salvé a muchos hombres! ¡Muchos hombres que os acechan! ¡Y no maldigo lo que hice delante del gran amor de mi vida, que es este guerrero, que en plena vida habéis dejado mudo para siempre, y me habéis dado la gloria de traerlo, a que por última vez lo vean mis ojos, ante una muerte cierta!

*(CASIMIRO BRODETT se levanta despacio, profundamente herido en el alma, y camina hacia la puerta del rastrillo, sin querer despedirse, ni volver a mirar a MARIANA.)*

MARIANA DE PINEDA.—Casimiro… *(CASIMIRO BRODETT se detiene sin mirarla.)* ¿Así se despide un liberal de la mujer que más quiso? *(CASIMIRO BRODETT queda yerto, sin mirarla.)* ¿Es que un liberal sabe luchar solamente por el débil amor humano de una mujer? *(Va rápida y se pone delante de él.)* ¡Mírame! *(CASIMIRO BRODETT la mira frío y contenido. Adivinándolo.)* ¿Que te han herido mis palabras? *(CASIMIRO BRODETT sigue sin reaccionar.)* ¿Que una confesión tan desgraciada, tan llena de verdad, te ha herido a ti, que has venido a las puertas de Granada con más altos ideales que el amor mío? *(CASIMIRO BRODETT sigue sin reaccionar.)* ¿Puede el amor humano ser tan débil? *(Se le abraza con todos los bríos.)* Casimiro de mi alma, no derrumbes todo el mundo mío. ¡Qué importa el cuerpo ni la carne! [e] ¿Sabes bien mi asco y mi dolor cada vez que tenía que sal-

---

[e] «Somos desperdicios humanos.»

var a alguien con mi cuerpo? ¿Sabes que después me abrazaba a un crucifijo y sabía que Dios me tenía que perdonar? ¿Sabes el odio tan grande que hay que llevar dentro para cometer actos semejantes? ¿Sabes el remordimiento que sentía, en contra de mí misma, porque en mí quedaban las traiciones y la ruindad de los que gobiernan? (CASIMIRO BRODETT *se contiene cada vez con más fuerza.*) ¿Acaso tu deseo de venganza, tu deseo de llegar a las puertas de Granada a la hora de mi condena, era sólo por salvar a una mujer? ¿El amor humano puede estar por encima de la libertad de todo un pueblo? (CASIMIRO BRODETT *sigue sin reaccionar.*) ¿Y un hombre no perdona a la mujer que quiso, sea como haya sido ésta? Pero qué ideas del honor tan cobardes, que destrozan toda la libertad del pensamiento. ¿Qué importa la honra de una mujer, ni los medios de que se vale, cuando se sacrifica por salvar de la muerte a muchos que humillaron, que traicionaron como a ti y a mí, frustrando para siempre nuestra vida? ¡Puertas de Santa María de Burgos, cómo juré ante mí venganza a costa de mi honra y de mi vida! ¡Qué día aquel de enero...! ¿Qué sabes tú de mi largo camino...? Y llevaba a tu hijo conmigo. Y al llegar a Madrid, le dije: «Cuando seas hombre, huye de aquí.»

(CASIMIRO BRODETT *en un impulso de furia, lanza ahora unos sonidos guturales, donde parece entenderse la palabra «fe».*)

(*Respondiéndole con el mismo impulso.*) Di fe a los que no la tenían. ¿Qué más puedes desear? Pero quise quitarle la fe a mi hijo. Una fe en la que me han hecho no creer. (CASIMIRO BRODETT *quiere seguir su camino. Sintiendo miedo.*) No puedes dejarme así a la hora de la muerte [*]. Piensa que acaso sean estos nuestros últimos momentos. Piensa que no puedes dejarme así, en una despedida como ésta. ¡Casimiro! (*Se le abraza y va cayendo delante de él de rodillas.*) El amor humano también es débil. Mírame aquí, suplicándote, necesito el úl-

[*] «Ay, no, Casimiro, no.»

timo beso tuyo, aunque tus labios se dañen, aunque me mientas al besarme, pero no me dejes en este desamparo, que entonces, Mariana de Pineda se arrepentirá de todo lo que hizo en su vida y despertará, al fin, a una realidad cruel: la realidad de saber que todas nuestras luchas y que todos nuestros esfuerzos, son inútiles...

(CASIMIRO BRODETT *parece no oír la súplica, se deshace de ella y sigue el camino.*)

(*Sin mirarlo ir.*) No quiero verte ir. Verte ir por última vez. Vete solo, mi amor, sin mis miradas últimas, pero llévate el consuelo de que te quise y te quiero. Así, como te vas, se van los hombres valientes. Se van los héroes... (*Profundamente débil y arrodillada, sin mirarlo.*) No me has comprendido. Nunca me comprenderás ya. Quizá yo me equivoqué...

(*Un piquete de soldados sale a custodiar a* CASIMIRO BRODETT, *y otro piquete, al mismo tiempo, sale custodiando a* PEDROSA, *quien ordena.*)

RAMÓN PEDROSA.—Que aún espere.

(*El piquete detiene a* CASIMIRO BRODETT. *En estos momentos empezamos a sentir golpes, en son de protesta, primero suaves, por unos sitios y otros de las puertas y ventanas cerradas del beaterio, como una rebelión amenazante y secreta. Intuimos que las arrecogidas están acechando por distintos lugares y son las que golpean. La amenaza se va haciendo más intensa.* PEDROSA *mira todo. e intenta localizar el golperío, pero imposible, suena más y más por todas partes.* MARIANA *se levantó como una diosa en derrota, pero sobreponiéndose, con valentía, con odio. El vestido jironado, el pelo en desorden, cayendo tras la espalda y delante de la cara. Todo en ella lleva un tono de amenaza y de guerra. De esta manera, queda esperando a* PEDROSA.

PEDROSA *baja despacio la escalera del beaterio, mirando a* MARIANA. *Los golpes dejan de sonar.*)

RAMÓN PEDROSA.—(*Sereno e irónico.*) ¿Es ésta doña Mariana de Pineda? ¿La que supo siempre cuidar con galanura su clase de gran señora?

(*Silencio.* PEDROSA *va analizando a* MARIANA, *dando la vuelta alrededor.*)

¿En tan pocos días la señora ha perdido tanta serenidad, tanto equilibrio y tanto dominio de sí misma? La miro y no creo lo que veo: el vestido hecho trizas, el sudor, la respiración jadeante, como a torrentes de la que quiere dejar escapar la vida, el pelo que cubre los ojos, en cuyos ojos se puede distinguir una ira que eclipsa la hermosura de la mirada. Podría pintarla ahora mismo, para gloria de los liberales, el pintor más realista. Qué gran cuadro de odio y de ira en una figura humana. Y qué del pueblo, y qué hembra esperando inútilmente la revolución... (*Sin dejar de analizarla.*) De cuántas inútiles esperanzas están hechas las vidas de nuestro país.

MARIANA DE PINEDA.—(*Habla sin mirarlo, serena y ocultando la ira.*) ¿Y es éste, su Ilustrísima, don Ramón Pedrosa, político astuto, juez de infidencias, que tanta serenidad finge, y se ve tan claro el fingimiento, en horas tan graves como éstas, donde la amenaza se cierne alrededor de toda Granada? Qué seguro parece estar de lo que dice y qué miedo se le ve en los ojos.

RAMÓN PEDROSA.—¿A qué amenaza se refiere la hermosa dama y a qué miedo?

MARIANA DE PINEDA.—A la amenaza y al miedo que Pedrosa bien sabe.

RAMÓN PEDROSA.—(*Sin dejar la ironía.*) Tendré que pensar que también doña Mariana padece estos días alucinaciones o delirios. Que a esto llegue aquella dama elegante... hasta perder [e] el control de sí misma [e].

MARIANA DE PINEDA.—¿No será mi falta de lucidez ceguera de su mente?

[e] «Virtudes y.»
[e] «Escombros somos.»

Ramón Pedrosa.—Puede ser. Necesitamos tanto tiempo para desengañarnos de las cosas. Nuestros desengaños llegan tan tarde... y tan sin remedio. Pero haré memoria. ¿A ver? *(Finge reflexionar.)* ¿A qué amenaza y a qué miedo se refería antes? No se referirá a esas mujeres que se han encerrado en las iglesias... Sepa que el ejemplo de Sor Encarnación fue seguido por más mujeres de Albaicín Alto. Y en las iglesias de San José y San Nicolás hay encerrados varios grupos más. Todas acabarán solas y señaladas. Pobrecillas. Con qué terror vivirán cuando salgan de las iglesias. *(Silencio. Sigue analizándola.)* ¿O acaso se refiere doña Mariana a la conspiración descubierta de este capitán que fue el amor... o uno de los muchos amores de doña Mariana?

(Casimiro Brodett *ha querido abalanzarse sobre* Pedrosa, *pero lo contiene el piquete de soldados.)*

*(A* Casimiro.) Veo que aún tiene fuerzas y arranque nuestro glorioso capitán. ¡Lo que hablaría si pudiera hablar! No habló, y por eso el estado de su lengua. Con él se irá a la tierra todo lo que sabe. *(Se va retirando sin dejar de mirarlo.)* Yo, que antes de ser el pobre político que soy, sin carrera civil ni militar, tuve aficiones a la pintura, me gustaría poder pintar a dos héroes, como vosotros, en derrota y ante la muerte.

Mariana de Pineda.—¿Derrota? ¿Muerte? ¿De qué habla don Ramón Pedrosa?

Ramón Pedrosa.—De lo que nunca la romántica doña Mariana podrá ver. Quién pudiera estudiar sus pensamientos con el riguroso criticismo del siglo pasado. Qué extraños pensamientos, o qué hermosos pensamientos tiene que haber dentro de su cabeza, que no ven, o no pueden ver, el deplorable estado a que llegó.

Mariana de Pineda.—¿Deplorable estado o triunfal estado? No sabemos quién es aquí el derrotado, ni el que morirá para siempre.

Ramón Pedrosa.—Helo aquí, digo, utilizando un galicismo que me hicieron aprender. La señora sigue confiando aún. *(Se le acerca.)* Me gustaría saber tanto de lo que pensó en estos días...

*(Arranca una rama en flor de limonero y distraídamente juega con ella, sin dejar de mirar a* MARIANA.)

Sé que ha leído la historia de Santa María Egipcíaca y las *Confesiones* de San Agustín. Todo lo que lleva al arrepentimiento. Sus ideas son siempre paradójicas. Es curioso las excusas que siempre buscan los vencidos. Seguramente, la señora será muy querida por las arrecogidas de este beaterio, mujeres que quieren, a la fuerza, justificar sus propios engaños.

MARIANA DE PINEDA.—¿Engañadas por qué y por quién? ¿Acaso Pedrosa no se engaña?

RAMÓN PEDROSA.—Quizá... *(Deja la ironía y deja escapar tonos de rencor.)* Escuché tu confesión, Mariana. Tu confesión a este capitán que ha dejado de pertenecer a los Ejércitos de España. *(Sigue con la ironía.)* ¿Está bien mi definición? ¿Ve? No vengo agresivo.

*(Reflexiona de pronto, como sobrecogido por un sentimiento que no espera y deja la ironía y se le ve hondamente preocupado.)*

Quizá mi piedad sea mayor de lo que pueda pensarse. Una piedad en la que yo ni creo, porque me sorprende a mí mismo. Una piedad que acaso nunca será comprendida. *(Venciéndose.)* Permítase también, a un súbdito del rey, tener piedad y razones por las que lucha. Razones que pueden ser tan verdaderas como las contrarias. *(Sus palabras van tomando verdaderos acentos humanos.)* Escuché tu historia, Mariana, que ya sabía. La historia de tu propio engaño. Yo, Ramón Pedrosa, como un hombre más que quiso ser tu amigo, indagué, con celos, en la vida íntima de la mujer que también supo enamorarme... *(Vuelve la ironía.)* Y he aquí la cuestión: el liberalismo de doña Mariana de Pineda empezó ante la historia amorosa de un hombre llamado Casimiro Brodett, a quien el ejército hizo que renunciara a sus ideas liberales antes de casarse con doña Mariana. Entonces, ella,

274

quiso vengarse de todo lo divino y humano. ¿Eso es amar el otro costado de España?

MARIANA DE PINEDA.—Ramón Pedrosa olvida que Mariana de Pineda no quiso casarse con este capitán y prefirió ser su amante antes de que él renunciara a sus ideas. Ramón Pedrosa olvida que nací de una mujer del pueblo a quien traicionaron y que fui la mujer de un campesino. *(Va perdiendo su equilibrio y mira a PEDRO-SA.)* ¡No me engañé jamás! Ni las arrecogías son unas engañadas. Nuestras causas son más profundas que las que Ramón Pedrosa ve. Y nos da una pena grande de ver a hombres como Ramón Pedrosa que no ven, que están ciegos.

RAMÓN PEDROSA.—Qué interés tiene lo que dice. *(Ha-ciéndole frente, con rencor.)* Ahora hubiera dado lo que no tengo por estar junto a ti, en estos días últimos. Y que, como un hombre que te quiso y que te quiere, me hubieras ido confesando lo que piensas.

MARIANA DE PINEDA.—*(Desafiando igualmente.)* Y yo hubiera dado lo que no tengo por tenerte. Por hablarte en la intimidad. Cogiéndote con mis propios brazos, para convencerte de tu pobreza y de tu ceguera.

RAMÓN PEDROSA.—¿Y no puedo oír algunas de estas confesiones?

MARIANA DE PINEDA.—Mira primero las manos de esos soldados que empuñan el fusil.

RAMÓN PEDROSA.—Miro.

MARIANA DE PINEDA.—¿Y nada ves?

RAMÓN PEDROSA.—¿Qué puedo ver?

MARIANA DE PINEDA.—El hambre de esos soldados.

RAMÓN PEDROSA.—¿Y dónde se ve el hambre?

MARIANA DE PINEDA.—En las manos, que apenas pueden sostener el fusil.

RAMÓN PEDROSA.—Será por el peligro en que ellos mismos se encuentran. Será por la emoción de verte. Estos soldados son el refuerzo que ha venido de Málaga y de Córdoba para coartar la conspiración de Casimiro Brodett. *(Lo señala.)* Este capitán fue, exprofeso, enviado por el rey para terminar en Granada con él.

MARIANA DE PINEDA.—Te vuelvo a decir que mires las manos de esos soldados. Los tenéis amenazados y hambrientos. Habéis tenido que gastar mucho dinero para pasear a los cien mil hijos de San Luis [35] por las tierras de España, para hacer ver que los reyes absolutistas de Europa están con el rey Fernando. Y nadie está con él. Y tú, defendiendo este engaño, quieres llevar al país a que viva de limosnas. Hoy vive de las limosnas de Francia, mañana vivirá de las limosnas de otro país. ¿De quién será la derrota antes? ¿Quién morirá antes, si yo con mi condena o tú con tu ceguera? Sé que te desvelas de miedo. Y sé, lo sé, que tú hubieras sido otro más de los que firmaron pasaportes falsos o echaron de la cárcel a quien yo pedía. ¡Cobarde!

RAMÓN PEDROSA.—No solamente habré vencido, sino que el pueblo de Granada se habrá liberado con tu muerte. Tu muerte será la libertad y la alegría para tantos como temen que hables. No existen ideas, ni amores a héroes, sino defensas al pan que cada cual se come. Y cuando te lleven al cadalso podrás comprobarlo. Cuando las argollas te las aten al cuello, comprenderás la única realidad. Y todos se alegrarán.

MARIANA DE PINEDA.—Si ese momento llega, huye de Granada, porque podrás ser arrastrado por las calles.

*(Vuelven los golpes a las puertas y ventanas, amenazantes, hasta sonar violentos.* PEDROSA *mira a unos lados y a otros,* MARIANA *queda como una reina que*

---

[35] *Los cien mil hijos de San Luis:* ejército francés que al mando del duque de Angulema invade el territorio español a principios de abril de 1823 para restablecer el régimen absolutista, liquidando así el llamado «trienio liberal» (1820-1823).

*vence, porque en el mirar de* PEDROSA *se observa cierto pánico.*
CASIMIRO BRODETT *va mirando también. Un momento de terror se apodera de todos.)*

RAMÓN PEDROSA.—*(Se adelanta y dice con firmeza.)* Es necesario que todas esas arrecogías escuchen lo más importante de tu historia. Y que ellas te juzguen. Tu juicio lo vas a tener aquí, públicamente. *(Dando la orden.)* ¡Abran las puertas!

*(Las puertas se abren. Van saliendo las arrecogidas serenas, lentas, con una ira contenida, tanto las de arriba como las de abajo, con un mirar inquietante. Las monjas salen después y quedan retraídas. Toda la luz del teatro se enciende. La tropa se refuerza, entrando por la sala del teatro.*
*Una vez que salen, empiezan nuevamente a golpear despacio, incitantes, sin dejar de mirar a* PEDROSA.*)*

RAMÓN PEDROSA.—*(Intentando serenarse. Terminan los golpes.)* Según doña Mariana de Pineda, el juez de infidencias, Ramón Pedrosa, un hombre que llegó al poder, como tantos, a base de traiciones. Un hombre que es juez y alcalde de la sala del crimen, sin haber pertenecido a la nobleza ni al ejército, ni a ninguna clase digna. Un hombre del pueblo que no quiso morir de hambre. Un hombre más que quiso a esta mujer. He querido salvarla por encima de los turbios políticos de Granada, pero me he visto obligado a firmar su sentencia de muerte, sin juicio público, y enviar esta sentencia al rey, bien sabe Dios que no por mis propios deseos, sino porque sus amigos me obligaron a ello.

*(Se acerca a* MARIANA, *le aparta el pelo de la frente y la mira.* MARIANA *también lo mira y queda como la que no tiene ni respiración ni aliento.)*

Mariana de Pineda, tu juez te pregunta:

*(*MARIANA *se retira de él, dando unos pasos hacia atrás y sin dejar de mirarlo.)*

¿Conoce doña Mariana a don Diego de Sola, alcalde de la cárcel de esta corte? (MARIANA *no responde.*) ¿Conoce Mariana a don Fernando Gil, gobernador de las salas del Crimen de la Real Chancillería de Granada, conoce al fiscal don Andrés Oller, conoce al conde de los Andes, capitán general de Granada...?

MARIANA DE PINEDA.—A todos. Y a todos quise por igual.

RAMÓN PEDROSA.—¿Sabe doña Mariana lo que traigo en este pliego?

MARIANA DE PINEDA.—Lo puedo adivinar. Mi sentencia de muerte.

RAMÓN PEDROSA.—Tu sentencia de muerte, pero en este otro traigo tu indulto. Tú elegirás. Traigo una duda grande, Mariana. Mi duda es la siguiente: si estos amigos tuyos, que no dudo que sean liberales, pueden salvarse con tu muerte. Y siento una gran tristeza de que los hombres liberales, por terror a la muerte, renieguen de sus ideas y sean capaces de firmar, en momentos precisos, la sentencia de muerte de una mujer como tú. Qué grande es mi tortura y qué grande mi desengaño. Y qué miseria la de los hombres que fueron tuyos.

(CASIMIRO BRODETT *lanza angustiosos sonidos guturales y, encolerizado, cae de rodillas al suelo, y golpea con el ansia de querer hablar. Nadie lo mira.*)

RAMÓN PEDROSA.—*(A* MARIANA.*)* Tienes que sacarme de esta duda: ellos firmaron antes de que tú hablaras para hacer ver al rey que desean tu muerte, a sabiendas de que son culpables de la revolución que en Granada se preparaba, y son los que te firmaron los pasaportes falsos y son los que te dieron los planos de las cárceles, y son los que dejaron en libertad a los presos que tú quisiste. *(Silencio.)* Contéstame, Mariana. *(Silencio.)* Puedes salvarte tú y él *(señala a* CASIMIRO*)* si declaras delante de tu juez y de estas arrecogidas que los hombres que firmaron tu sentencia de muerte son y fueron los más infieles y traidores al rey.

MARIANA DE PINEDA.—*(Se le va acercando silenciosamente y con gran frialdad dice.)* Ramón Pedrosa: ellos sólo fueron mis amantes.

(CASIMIRO BRODETT *llora como un niño, queriendo ocultar las lágrimas.* MARIANA *sigue sin alterarse, mirando a* PEDROSA.)

RAMÓN PEDROSA.—Estás mintiendo, Mariana.

MARIANA DE PINEDA.—*(Con la misma frialdad.)* No sé mentir. En estos momentos, menos que nunca. Fueron y son los que me condenan, mis amigos y mis amantes. Y los considero hombres tan valientes como para después de haberme querido, haber firmado mi sentencia de muerte. Tú bien lo sabes, Ramón Pedrosa: me trajiste aquí como una arrecogía más. Eso soy *(entre lágrimas)*, una arrecogía más. Una arrecogía profundamente sola. La soledad es lo único que me queda. Y después de esta soledad, no me importa ya la muerte.

CARMELA «LA EMPECINADA».—*(En un arranque de cólera.)* ¿Qué estás hablando de soledad? ¡Has mentido!

CHIRRINA «LA DE LA CUESTA».—*(Rápidamente se pone delante de* MARIANA.) ¿Unas lágrimas tú? *(Exaltándose.)* ¡Somos como tú! ¡Somos de carne y hueso como tú! Mira mi mano cogiendo la tuya. Tienen el mismo sudor nuestras manos. Son manos amigas. *(Volviéndose a* PEDROSA.) ¡Él sí que está solo! ¡Traidor!

CARMELA «LA EMPECINADA».—¿Cómo ser partícipes de este juicio, si nos habéis hecho desconfiar de nuestra sombra? *(Gritando.)* ¿Dónde puede estar la verdad?

CHIRRINA «LA DE LA CUESTA».—*(En la misma actitud que* CARMELA.) ¡Él hubiera sido capaz de traicionar al rey por tenerte! ¡Él se hubiera convertido en otro de los que firmaban pasaportes falsos, si tú hubieras querido.

Eva «La Tejedora».— ¡Todas seremos testigos de lo que ha dicho!

Aniceta «La Madrid».— ¡Nos tendrán que oír!

Paula «La Militara».— ¡Se sabrá en las Cortes!

Carmela «La Empecinada».— ¡Que se abran las puertas de la Audiencia de Granada y que el juicio se vea delante de las personas que han firmado la sentencia! ¡Que se vean cara a cara con Mariana! ¡Y que todas vayamos a ese juicio! ¡Y que sea público y que entre la gente que desee oírlo! ¡Y que nos dejen hablar a nosotras! ¿Qué contestas, Pedrosa?

Ramón Pedrosa.—Que tu ceguera es más grande que la que yo pueda tener, y que en ti veo la derrota de eso que llamáis liberalismo. Imposible el entendimiento y la comprensión.

Carmela «La Empecinada».—(Como una fiera.) ¿Es que no comprender es querer indagar sobre la justicia?

Chirrina «La de la Cuesta».—(Cogiendo de la ropa a Pedrosa.) ¿A que tú eres de los nuestros? ¡Pobre miserable que de la nada has llegado a donde estás! ¡Matando a los tuyos!

(Chirrina «La de la Cuesta» le escupe. Se abalanza al cuello de Pedrosa. Lucha con él. Rápidamente un soldado con una bayoneta en ristre se adelanta y quiere traspasar la espalda de Chirrina «La de la Cuesta». Todas gritan y Mariana se interpone.)

Mariana de Pineda.— ¡Quieto!

(Las arrecogidas se arrinconan con terror. La tropa espera órdenes de Pedrosa. Este, mientras va rehaciéndose y con un gesto, manda retirarse al soldado.)

Chirrina «La de la Cuesta».—(Jadeante.) Te hemos dicho la verdad. Hemos pedido la verdad.

Todas las arrecogías.— ¡Hemos pedido la verdad!

CHIRRINA «LA DE LA CUESTA».— ¡Nuestros juicios tampoco saldrán! ¡Nos condenarán como a ella! ¡Si hemos de morir, ahora! ¡Desarmadas! ¡Sin nada en nuestras manos! *(Desafiando a los soldados se hinca de rodillas y extiende los brazos diciendo.)* ¡Queremos la muerte!

CONCEPCIÓN «LA CARATAUNA».—*(Secundando a CHIRRINA, hincándose de rodillas y extendiendo los brazos.)* ¡Yo llevé una bandera por las costas de Tarifa!

ROSA «LA DEL POLICÍA».—*(Haciendo igual.)* ¡Y yo maté a un hombre con mis propias manos!

CARMELA «LA EMPECINADA».—*(En el mismo estado que las demás.)* ¡Y yo hice las guerrillas y ahogué sin compasión a los que pude!

PAULA «LA MILITARA».— ¡Y yo sequé la sangre del Empecinao con mi pañuelo, y quiero morir con esta sangre! [a]

*(En un griterío desbordante y de histeria colectiva, todas, menos MARIANA, se van hincando de rodillas, pidiendo la muerte, con los brazos extendidos, algunas pudieron coger las manos de MARIANA, diciendo.)*

TODAS.— ¡Qué esperáis! ¡Qué esperáis! ¡Qué esperáis!

*(En este estado, mientras gritan, se van aproximando a los soldados. Los soldados permanecen firmes y mirando al vacío. PEDROSA ordena con un gesto. Un piquete de soldados se lleva a CASIMIRO BRODETT. Otro piquete se lleva a MARIANA. CASIMIRO BRODETT lucha con el piquete, parece que tiene el intento de dar el último beso a MARIANA. Intento que ya no puede ser. Van saliendo, mientras las arrecogías gritan golpeando.)*

TODAS.— ¡Mariana no! ¡Mariana no! ¡Mariana no!

*(Las monjas con quinqués en las manos rodean, ame-*

---

[a] Esta réplica y la anterior han sido añadidas.

*nazantes, a las arrecogías. Éstas siguen gritando:* « ¡Mariana no! » *Al mismo tiempo, suenan chirridos y martillazos propios del levantamiento de un patíbulo, hasta inundar sala y escenario de ruidos de hierros y martillazos ensordecedores. Hay un oscuro y cesan los ruidos del patíbulo. Rápidamente el beaterio de Santa María Egipciaca se llena de una gran luminosidad. Durante el oscuro, monjas y arrecogías desaparecieron del escenario. Por todas partes del beaterio,* LOLILLA *y sus* COSTURERAS *cantan con gran alegría.)* [s]

COSTURERAS:

> Penas ninguna [36],
> que dieron la una
> que dieron las dos,
> San Juan de Dios.

TODAS:

> Que no tenemos faroles
> porque nos sobra luz,
> sí, «monsiur».
> Que las fiestas en Granada
> empezaron ya.
> ¿Qué quiere usted?
> ¿No las oye sonar?
> Así somos, «monsiur».
> Cantamos, bebemos,
> bailamos y olvidamos.

(LOLILLA *se adelanta bailando sola, mientras las otras la jalean.)*

[s] Toda esta acotación es nueva. La antigua decía: «Se apaga la luz de la sala mientras van cayendo las tapias del beaterio de Santa María Egipciaca y suenan unos redobles de tambores. Estos redobles de tambor son apagados por el palmoterío y la alegría de los músicos que salen tocando por las calles la música de las canciones. Toda la luz vuelve a encenderse. Salen Lolilla y las costureras con grandes abanicos alpujarreños, cantando y bailando. Se abren puertas y ventanas y vemos aparecer gente, contagiadas de alegría, ante la música y los bailes.»

[36] Desde aquí hasta el final el texto ha sido también profundamente transformado por el autor. Remitimos al lector al final de la obra. (Variante 2.)

LOLILLA:

El sereno de esta calle
me quiere trincar la llave,
que alza que toma
que toma que dale,
y esta noche me lo espero
para que no se me escape,
entre mi escote y mi traje,
que alza que toma
que toma que dale.

TODAS:

Zacatín arriba,
Zacatín abajo.
Penas ninguna,
que dieron la una,
que dieron las dos,
que mira Frasquito
sentándose al sol.

*(El canto de* LOLILLA *y sus* COSTURERAS *queda interrumpido por un doblar de campanas; primero suenan suaves, luego violentas. Las campanas, doblando a muerto, se hacen sobrecogedoras en todo el teatro, escenario y sala.* LOLILLA *y sus* COSTURERAS *están aterrorizadas. Las campanas van cesando, sin dejar su sonido estremecedor, para poder ver y oír ahora a «*LAS ARRECOGÍAS*» que estarán situadas en diversos lugares del teatro, diciendo:)*

CARMELA «LA EMPECINADA».— ¡Mariana ha muerto!

ROSA «LA DEL POLICÍA».— ¡Mariana ha muerto!

CONCEPCIÓN «LA CARATAUNA».— ¡Mariana ha muerto!

CHIRRINA «LA DE LA CUESTA».— ¡Le han dado garrote vil en un patíbulo levantado en las Explanadas del Triunfo!

EVA «LA TEJEDORA».— ¡Han clavado las argollas en su cuello y un clavo atravesó su nuca!

Aniceta «La Madrid».— ¡Mariana ha muerto sin declarar!

D.ª Francisca «La Apostólica».— ¡Malditos patíbulos que levantan los hombres!

Rosa «La del Policía».— ¡Mariana ha muerto de garrote vil!

(*En son de protesta,* Lolilla *y las* Costureras, *desafían al público, golpeando el suelo al mismo tiempo que palmotean. Todas se encaran en tono provocativo. De la misma manera,* «Las Arrecogías» *van subiendo al escenario.* Costureras *y* Arrecogías *desafían insistentes al público. De pronto, todo queda congelado. Aparece ahora, de entre todas ellas, la actriz que representó el papel de* Mariana de Pineda, *quien dice al público:*)

Actriz.—Mariana de Pineda fue ejecutada el amanecer del día 26 de mayo de 1831. Su juicio se celebró y sentenció sin su presencia. Meses después, en el primer amago de muerte del rey Fernando VII, se promulgó una amnistía. Volvieron a España diez mil exiliados. Si la amnistía se hubiese dado unos meses antes, Mariana de Pineda no hubiera muerto, y con ella, otras muchas víctimas que quedaron en el olvido, como aquellas arrecogías del Beaterio granadino de Santa María Egipciaca.

O S C U R O

# APÉNDICE

## VARIANTE 1

LOLILLA:

> Para llegar a la hora señalada,
> donde en la plaza de toros
> del reino moro de Granada,
> se va a torear.
> Qué claridad,
> que las tapadas en Ronda,
> no teníamos que hacer na.

*(Todas bailan.)*

> Ay, dicen que las Corridas en Cádiz
> se están terminando,
> porque los gaditanos,
> entre sus mares de plata,
> se están apenando.

TODAS.—*(Cantando y bailando muy alegres.)*

> Pero oiga usted,
> serán los viejos,
> secos y pellejos,
> que no pueden venir
> a las corridas de toros
> que se dan aquí,
> y que no se dan

en el viejo y alegre Madrid.
¡Toma ahí!
Que en los viejos madriles,
todo es seriedad,
aquí, en esta Andalucía,
alegría y claridad.

*(Bailan todas mientras* LOLILLA *canta.)*

LOLILLA:

Penas ninguna
que dieron la una,
que dieron las dos,
señor Juan de Dios.

TODAS.—*(Cantando.)*

Si los relojes se paran
es que el toro a alguien pilló,
pero Frasquito y yo,
seguimos en reunión,
uno junto al otro,
como en la grupa de un potro,
como en las doce
las manecillas del reló,
una con otra
y sanseacabó.

*(Palmoteo y baile de todas. Sale* LOLILLA *a cantar.)*

LOLILLA:

Penas ninguna
que dieron la una,
que dieron las dos,
que sale el rejoneador,
y cerca de la barrera
se le espera.

TODAS:

Aquí estamos
y esperamos.

Tomo ahí,
Zacatín.
Zacatín arriba,
Zacatín abajo,
la cabeza alta
y mucho desparpajo.
Valentía.
Alegría.

(*Se vuelve a destapar. Mientras bailan y cantan.*)

TODAS:

¿Nos veis?
Así somos.
Fieles
con nuestros quereres.
Y la vida se juega,
sí señor,
cuando hay que jugarla
por amor
o rencor.
Que toma Asunción,
que no quiero compasión,
que quiero desvelo,
desvelo, desvelo, desvelo
y glorias y obras
ganás para el cielo.

(*Sale* LOLILLA *a cantar mientras las otras bailan.*)

LOLILLA:

Y así estamos,
desveladas
en las veladas
de las fiestas granadinas.
¿Quién dijo lo contrario?
Finas
y sin descanso,
en Ronda,
en la sierra,

en los mares,
en Bayona,
y en la tierra mora
que es aquí:
la del Zacatín.

TODAS:

Zacatín arriba,
Zacatín abajo.
Penas ninguna,
que dieron la una,
que dieron las dos,
que mira Frasquito
sentándose al sol,
y gira, gira, girasol.
Girasol amarillico,
mira y mira
para el sol.
Zacatín arriba,
Zacatín abajo.
La cabeza alta
y mucho desparpajo.


VARIANTE 2

LOLILLA:

Penas ninguna,
que dieron la una,
que dieron las dos,
señor Juan de Dios.

TODAS:

Que no tenemos faroles
porque nos sobra luz,
sí, «monsiur».
Que las fiestas en Granada
empezaron ya.

288

¿Qué quiere usted?
¿No las oye sonar?
Así somos, «monsiur»,
cantamos, bebemos, bailamos
y olvidamos.

(LOLILLA *se adelanta bailando sola y baja a la sala a bailar. Mientras baila, las otras cantan.*)

TODAS:

¡Fíjense en Lolilla la del Realejo,
morenilla,
pequeñilla,
cómo baila,
con qué garbo y salero.
Ay, cómo mueve su abanico
de nácar y lentejuelas
traídas de los Versalles
pa que calle
Andalucía
que ni de noche ni día
deja de cascarrear.
Esa es la verdá.
Tome usted,
pa vender
al inglés
y al granadino.
Qué fino
el revuelo de Lolilla,
cómo se mueve,
cómo va y viene,
con qué salero,
qué gracia en sus manos y en su pelo.

(*Bailan las de arriba,* LOLILLA *canta y baila sola abajo.*)

LOLILLA:

El sereno de esta calle
me quiere trincar la llave,
que alza que toma,

que toma que dale.
Y esta noche me lo espero
para que no se me escape,
con facas y con revólver
entre mi escote y mi traje,
que alza que toma,
que toma que dale.
Que toma, sereno,
que toma el pañuelo,
que no te lo doy,
porque sí, porque quiero,
que toma salero,
salero, salero, salero.

*(Arriba siguen tocando los músicos, las costureras bajan a cantar y bailar entre el público.)*

TODAS:

Zacatín arriba,
Zacatín abajo.
Penas ninguna,
que dieron la una,
que dieron las dos,
que mira Frasquito
sentándose al sol.
Zacatín arriba,
Zacatín abajo.
La cabeza alta
y mucho desparpajo.

*(Mientras la alegría de la fiesta continúa baja un cartel con unas letras grandes que dicen:)*

«ESTA HISTORIA HA TERMINADO.»

*(Ellas siguen bailando y repitiendo canciones.)*

TELÓN

Colección Letras Hispánicas